あなたの目の前に
観音菩薩
があらわれる本

なかやまうんすい

自由国民社

はじめに

『あなたの目の前に観音《かんのん》菩薩《ぼさつ》があらわれる本』

私が主宰している姓名学の勉強講座で学んでいる人達に「これから読んでみたい内容の本」というテーマでアンケートを取りました。

私が実際にこれまで行ってきた、名前に関してや文字に関してなどの様々なテーマです。

その中で、圧倒的に1位になったのが、『あなたの目の前に観音菩薩があらわれる本』だったのです。

驚いたのは、若い人ほど

「やってみたい、楽しそう」

「なにそれ！　目の前にあらわれるとか。それは興味ある。そういうのみんな大好きですよ」

「コックリさんみたい」

「まじでやりたい！　そんな話初めて」

と言うのです。

理由は、神社仏閣、そして宗教など、たくさんの人が神様にお願いしたり、特別にご利益を頂きたくて神社仏閣に行ったり、宗教に入信していますが、神様（観音菩薩）が目の前にあらわれて自分の願いを聞いてくれるなら、これまで行ってきたどんなことよりもすごいし、実行してみたい。

こんなに素晴らしいことはない。

何よりも、「目の前にあらわれる」ということに大きな衝撃を受けたようです。

そして多くが「すぐに私もやってみたい」と即答し、興奮状態でした。

私は、占術家として長く仕事をしてきましたが、集大成として読者の皆様に喜んでもらえるもの、本当に役に立ったと思ってもらえるものをまとめたいとずっと思ってきました。

1つ目は、姓名学です。
2つ目は、幸運象形文字です。
この2つはこれまでにも書いてきました。

そして3つ目がこの本、「**あなたの目の前に観音菩薩があらわれる**」です。
これは、これまで本として公開することはありませんでしたので初公開です。
これら3つはいずれも、私の文字学研究と深く関わっています。

長い間、文字と関わってきて、言われることがあります。
神様、仏様に出会えるものはないですか?と。

姓名学は画数や文字の力で運勢が決まる。
幸運象形文字は特別な文字で願い事をかなえてくれる。

一方、現在、女性や若い人を中心に神様とかスピリチュアルが人気です。

神社、仏閣、教会など。皆さん、神仏詣《もう》でを我も我もとしています。

しかし、結果として、実際に神様、仏様《ほとけさま》に出会ったと言う人を聞いたことがありません。

そして、神様や仏様が出てきて直接何かをしてくれたということも聞いたことがありません。

困ったときの神頼みをしていても、神様、仏様が出てきて話を聞いてかなえてくれたということはないのです。

良くなった、幸せになったという人も、神様、仏様に直接出会ってはいません。

神頼みをしていたので、その結果として良くなったのだと思っているわけです。

私の周りでも、病や心配事に対して神頼みをしてもそれによって変わることはなく、もちろん神様、仏様も出てきてはくれません。

これだけ多くの人達が、神様と仏様にお願いをしているのに、誰も見た人はいない。

でも迷信でも妄想でもないとすれば、実際に出会えるのではないか？

出会えて直接に頼むことができたら、それこそ願いがかなうのではないだろうか？

そう考えていた40年ほど前のある日、私は**特別な写経**を行っていて、突然、観音菩薩に出会えたのです。

私の目の前に、観音菩薩があらわれたのです。


観音菩薩はあらゆるところへあらわれ、あらゆる願い事をかなえるとされるため、現世利益の菩薩とも言われます。

悩める者を救い、大いなる慈悲の心で人々を癒し、人々の苦しみや悩みの声を聞き、ただちに救済する。

観音菩薩には、直接出会えて、お願いすることができるのです。

観音菩薩は実際に、あらわれます。

これまで皆さんは、その方法を知らずにお参りしていただけなのです。

考えてみてください。

人間でも、直接相手を目の前にして、物事を頼んだりお礼をするということは当たり前のことです。だからこそ聞いてもらえることもあります。

しかし、相手を遠くから見てお願いをしたり、頭を下げるということだけでは、なかなか願いや気持ちも伝わらないと思います。


観音菩薩との奇跡の出会い。

それには、特別な写経を行います。

写経とは、仏教の聖典、お経を書き写すことです。


仏教や宗教は、最近の若い人達の間では必ずしも身近なものとは言えなくなっています。

昨今、新興宗教の数々の問題が社会的に表面化したり、それまで先祖代々受け継がれてきたお寺でも、「墓じまい」が多くなってきています。仏教や宗教から縁を切るという人も増えました。

しかし、そんな中でも写経は、年々行う人が増えているようです。

写経を行うのには筆を使ったり、姿勢を正しくしたりなど現代人にとっては結構苦手な作法が多く、パソコンなどに慣れた人には特に大変なものだと思います。

しかし、写経をこれまでにやったことのある人達に話を聞いてみると、「心が落ち着く」、「これまでの生活の中になかった習慣だから新鮮」、「運が良くなりそうだから」などの答えが返ってきました。

書いていたのは、聞いた人達全員「**般若心経**《はんにゃしんぎょう》」でした。

2022年にNHKのテレビ番組「ドキュメント72時間」が、都内の寺院で開催されている写経会の様子を放映しました。女性やサラリーマンなど様々な人たちが写経を行っている現実が映し出されました。多くの人が通っていました。

ここでも書いていたお経は「般若心経」でした。

また、同年11月27日に放送されたフジテレビ系列の番組「ザ・ノンフィクション」では、映画の脚本家を目指してロスアンゼルスに渡った妹が現地人の夫に殺害された壮絶な過去に向き合いながら、日本での犯罪受刑者の更生支援を行っている47歳の会社社長が紹介されました。受刑者の親代わりとなって取り組む姿は、誰もが真似できるものではありません。彼は180人を抱える建設関連グループ会社の社長で、就任15年で売上80億円を達成した敏腕社長です。このドキュメンタリーを元にして、2024年には映画化もされました。

そんな彼が、元受刑者と行っていたのも「写経」でした。

般若心経（正式名「般若波羅蜜多心経《はんにゃはらみったしんぎょう》」）は、西暦600年以降に中国の僧侶で、三蔵法師（三蔵法師とは、仏教の経蔵・律蔵・論蔵の三蔵に精通した僧侶）の玄奘《げんじょう》がインドから中国に持ち帰った600巻以上の経典の一つといわれていますが、諸説あります。

玄奘が翻訳したとされる般若心経が1000年以

上も世界中で受け継がれている理由は、300ほどの文字にすべての仏教の垣根を超えた真髄があらわされているからにほかなりません。

いわゆる宗派、寺院、神道などを超えた経典ですから、どこで上げてもよいのです。真言《しんごん》と呼ばれる仏の真実の言葉、秘密の言葉、いわゆるマントラが含まれています。

般若心経の中でもっとも重要なことは、「空《くう》」の概念です。

空は実態のないこと、つまりは無です。

無は悟りの境地です。何事にもとらわれない自分自身です。

この本の中にある、特別な写経を続けて実際に目の前にあらわれるのは、阿弥陀如《あみだにょ》来《らい》の慈悲《じひ》を表す観音菩薩です。

「一切は空である」として、すべての苦しみから救うために観音菩薩が説かれたのが「般若心経」です。

日本でも、1200年前の平安時代、疫病が大流行し、嵯峨天皇が空海の勧めで般若心経を写経され、疫病がおさまったとされています。

その他にも、何人もの歴代天皇が般若心経を写経したことは広く知られています。

写経そのものは、今も昔も実践している人達は多くいると思います。

しかし、私が皆さんにお教えする写経は、観音菩薩が目の前にあらわれて、奇跡を起こしてくれる「特別な写経」です。


信じる信じないは、あなたの自由です。

しかし、この本を手に取って実際に特別な写経を行うときには、邪念を捨てて無の心で対峙して観音菩薩をお迎えしてください。

頭、心、体を空（無）にして、あなたも奇跡に出会ってください。

観音菩薩があなたの願いを聞き入れてくれて、あなたが幸せになることを心から願っています。

なかやまうんすい

目次

第一部　「般若心経」を写経しよう

第二部
「幸運象形文字」を書こう

第三部 あなたの「名前」で運勢を知ろう

第一部

「般若心経」を写経しよう

観音菩薩が目の前にあらわれる！奇跡を呼ぶ「幸運象形文字写経」の行い方

①この本の、般若心経が書いてある22ページを開けてください。

②机の場合は椅子に座るか、低いテーブルの場合はできれば正座をして般若心経に向かい合い、手に取って般若心経を一読してください。

大きな声でも小さな声でもいいので、声を出すことが大切です。声を出せない場合には心の中で読んでください。

(正座ができない場合は足はくずして行っても大丈夫です)

③般若心経を前に置くか、書く用紙の上に置き（書きながらだんだんお手本の般若心経を横にずらしていくと書きやすいです）、半紙（書道用紙、和紙など）を広げて般

若心経を書く（写経）準備をします。

写経には必ず筆（墨をするか、墨汁）か筆ペンを使用します。マジックやペン、鉛筆では書かないでください。効果が期待できない場合があります。

書道用下敷き（マット／毛氈《もうせん》）、文鎮《ぶんちん》などは必要に応じて使ってください。

④般若心経を見つめて、自分のかなえてほしい願いを一つだけ念じて祈ってください。

一回だけです。何回も念じたりいくつも念じては効果は出ません。

そして、念じたあとは頭、心、体を空（無）にしてください。

無になるまでは写経を行わないでください。

無になるということは雑念をすてること。余計なことを考えないことです。

⑤無になることができましたら、写経を始めてください。

これまでは一行に17字詰で書くのが原則といわれてきましたが、これにこだわらなくても構いません。半紙一枚に般若心経276文字を書いてもよいですし、何枚かに分けて書いても構いません。文字の大きさや墨の濃さなども、あまりに大きい文字や小さすぎる文字ではダメですが、ご自分の書きやすい文字の大きさで書いてください。

書体についてはこの本を手本にして書いてください。

書きなれてきたら、自我流の書き方や字体で行ってもよいでしょう。

墨の濃さについても読みにくいような薄さでなければ大丈夫です。

⑥般若心経の写経を一回書き終えたら、次ページにある「幸運象形文字」３文字を一番最後に書き入れてください。（この文字こそ観音菩薩を招く秘訣です）

これで一回の写経が終了です。

⑦続いて行う場合は、⑤からの順番で写経を続けていってください。

２回目からは般若心経を読むことや、願い事を念じることなく、ひたすら頭、心、体を空（無）にして写経を続けてください。

続かなくなった場合は決して無理をせずに般若心経の最後まで書いて、象形文字を書き終えて終了してください。

休み休み書いてもかまいませんが、あまり休みの時間がかかりすぎる場合は一度書き終えたところで終了し、また、後で書くか、後日にしてください。

一日に何回書いてもよいですし、時間もいつでもよいのですが、無になることを考えた場合には夜の時間帯が一番心が静まる時間帯となります。

❖般若心経は漢字だけを書いてください。振りがなや字間の「。」は書かないでください。

❖たくさん書いてたまった用紙は、捨てずに取っておくと良いです。捨てる場合には感謝を込めて清めの塩を振ってから出してください。書き損じも同じです。

❖病気やケガなどで本人が写経できない場合に、本人に代わって別の人が写経する場合は、必ず、願い事と一緒にその本人の名前を念じてください。

般若心経の写経の最後に書く幸運象形文字3文字

摩《ま》訶《か》般《はん》若《にゃ》波《は》羅《ら》蜜《みっ》多《た》心《しん》經《ぎょう》

觀《かん》自《じー》在《ざい》菩《ぼー》薩《さっ》。行《ぎょう》深《じん》般《はん》若《にゃー》波《はー》羅《らー》蜜《みっ》多《たー》時《じー》。照《しょう》見《けん》五《ごー》蘊《うん》皆《かい》空《くう》。
度《どー》一《いっ》切《さい》苦《くー》厄《やく》。舍《しゃー》利《りー》子《しー》。色《しき》不《ふー》異《いー》空《くう》。空《くう》不《ふー》異《いー》色《しき》。色《しき》即《そく》是《ぜー》空《くう》。空《くう》
即《そく》是《ぜー》色《しき》。受《じゅー》想《そう》行《ぎょう》識《しき》。亦《やく》復《ぶー》如《にょー》是《ぜー》。舍《しゃー》利《りー》子《しー》。是《ぜー》諸《しょー》法《ほう》空《くう》相《そう》。不《ふー》
生《しょう》不《ふー》滅《めつ》。不《ふー》垢《くー》不《ふー》淨《じょう》。不《ふー》增《ぞう》不《ふー》減《げん》。是《ぜー》故《こー》空《くう》中《ちゅう》無《むー》色《しき》。無《むー》受《じゅー》想《そう》
行《ぎょう》識《しき》。無《むー》眼《げん》耳《にー》鼻《びー》舌《ぜっ》身《しん》意《いー》。無《むー》色《しき》聲《しょう》香《こう》味《みー》觸《そく》法《ほう》。無《むー》眼《げん》界《かい》。乃《ない》至《しー》
無《むー》意《いー》識《しき》界《かい》。無《むー》無《むー》明《みょう》。亦《やく》無《むー》無《むー》明《みょう》盡《じん》。乃《ない》至《しー》無《むー》老《ろう》死《しー》。亦《やく》無《むー》老《ろう》死《しー》
盡《じん》。無《むー》苦《くー》集《しゅう》滅《めつ》道《どう》。無《むー》智《ちー》亦《やく》無《むー》得《とく》。以《いー》無《むー》所《しょー》得《とっ》故《こー》。菩《ぼー》提《だい》薩《さっ》埵《たー》。依《えー》

般《はん》若《にゃー》波《はー》羅《らー》蜜《みっ》多《たー》故《こー》。心《しん》無《むー》罣《けー》礙《げー》。無《むー》罣《けー》礙《げー》故《こー》。無《むー》有《うー》恐《くー》怖《ふー》。遠《おん》離《りー》
一《いっ》切《さい》。顛《てん》倒《とう》夢《むー》想《そう》。究《くー》竟《ぎょう》涅《ねー》槃《はん》。三《さん》世《ぜー》諸《しょー》佛《ぶつ》。依《えー》般《はん》若《にゃー》波《はー》羅《らー》蜜《みっ》
多《たー》故《こー》。得《とく》阿《あー》耨《のく》多《たー》羅《らー》三《さん》藐《みゃく》三《さん》菩《ぼー》提《だい》。故《こー》知《ちー》般《はん》若《にゃー》波《はー》羅《らー》蜜《みっ》多《たー》。是《ぜー》
大《だい》神《じん》呪《しゅー》。是《ぜー》大《だい》明《みょう》呪《しゅー》。是《ぜー》無《むー》上《じょう》呪《しゅー》。是《ぜー》無《むー》等《とう》等《とう》呪《しゅー》。能《のう》除《じょー》一《いっ》切《さい》
苦《くー》。眞《しん》實《じつ》不《ふー》虚《こー》。故《こー》説《せつ》般《はん》若《にゃー》波《はー》羅《らー》蜜《みっ》多《たー》呪《しゅー》。即《そく》説《せつ》呪《しゅー》曰《わつ》。
羯《ぎゃー》諦《てー》羯《ぎゃー》諦《てー》。　波《はー》羅《らー》羯《ぎゃー》諦《てー》。　波《は》羅《ら》僧《そう》羯《ぎゃー》諦《てー》。　菩《ぼー》提《じー》薩《そ》婆《わ》訶《かー》。

般《はん》若《にゃー》心《し〜》經《んぎょう〜》

写経と「運」

最近、私の行っている「なかやまうんすい孔子塾」を受講した親御さんからの影響で、私の提唱している「写経」を行っている若い人達がいます。

また、なんの支えもない、なんの後押しもない、ましてやコネなどもない。

そんな中で写経を始めて自信と勇気と運の力を確信したという連絡も頂きます。


特に芸能界を目指す人たちにとっては未知の世界だといってもいいほど、芸能界は他業種とは競争率の違いが際立っています。

そんな中で、チャンスに恵まれる人がいます。

これは、「運がなければ売れない世界」と言っても過言ではありません。

どんなに有名人の子息でも売れない人のほうが多いのが芸能界。

超お金持ちの子息も同じです。

逆に貧しい環境で育った人が人気者になるケースも多いのが芸能界。

その中で何人もの人達が、「写経」によってチャンスに恵まれ、幸運なデビューや人気を獲得しています。

これはまぎれもなく写経が、そして、観音菩薩がものすごい力を持っているからです。何千倍、何万倍というライバルに勝って駆け上がるのですから。

「人は努力だけでは幸運になれない。運がなければ今がなかった」

このことは、あらゆる分野のパイオニア達も言っています。

芸能界だけでなく、医師、弁護士、デザイナー、起業家、教師、学者、宗教家、設計士、美容師、政治家、漫画家などなどありとあらゆる分野での成功者達ほど良くわかっています。

才能を磨くのは努力です。

では、運を磨くのは？

誰もその答えを知りません。

これまでにも何回か書いていますが、福岡ソフトバンクホークスの取締役会長、日本プロ野球名球会顧問、球団特別アドバイザーを務める王貞治さんは、世界のホームラン王と言われるほどの抜きん出た才能のある実力者です。

ですが、その王さんでも、「この世界は、才能だけではダメなんです。運が無ければダメなんです。それはどの世界も同じだと思います」と言っています。

あれだけの世界的な名選手であった王さんの言葉は本当に重みがあります。

才能は努力によって磨きあげられるけど、運はまさに風まかせ。

そんな不安定な中で生きているのです。

私はその「運」を味方につける方法を長い間研究してきました。

そしてたどり着いたのが**名前**であり、**幸運象形文字**、そして**写経**なのです。

何十年もの実践を経て確実なものになりました。

一気に大富豪、一気に好きな異性とめぐり会う、一気に幸せな結婚、一気に孤独解消、一気に人気者、一気に健康、一気に楽しい人生、一気に昇進、一気に成功……。

この「一気に」を、実現させられるのが、この本の中に書いてある秘伝なのです。

実践、実績が物語っています。

「人よりも努力しているのになぜ……」その答えは簡単です。

努力だけではない、運が味方をしてくれなかったのです。

運を味方につける！

本当にこれが一番大事なのです。

それをおろそかにしていませんでしたか？

運こそ、命なんです。

運をつかむ具体的な方法。

この本はそれをあなたに教えてくれます。

写経で起きたすごい奇跡

あれはもう、今から39年前になります。

九州地方に住む当時、中学生の女の子があまりに非行が激しく、ヤクザと付き合うなど親も学校も見放すような状況でした。

家に帰らない、酒は飲む、胸のあたりにいたずらのような彫り物を入れる、妊娠中絶……と、真面目に働いている両親からしたら、何がどうなってしまったんだろう、いったい育て方のどこが間違っていたのだろうと悩む日々。ご多分にもれずいろいろな神様、お寺、占いなどにすがったようですがうまくいかず、まわりまわってテレビ番組に出演していた私を見て、この人ならなんとか娘を救ってくれるのではないかと考え私のところにやって来たようですが、両親が嫌がる娘を無理やり引っ張って連れてきたような状況です。

両親が共働きで昼間家を留守にしていたために同級生のたまり場となり、遊び癖がついたのが始まりのようでした。

たまたま付き合った仲間が悪かっただけで、共働き家庭でまったく何事もない家庭のほうがはるかに多いのですが……。

私は名前を見てその人の運勢を判断するのが仕事です。

彼女の名前は良くありませんでした。しかし彼女は、名前で占うなんて信じないし言うことも聞かない。改名の話などする余地もありません。

そこで私は、自分が27歳の頃から続けていた**写経**をすることを勧めました。

当然それにも見向きもしませんでしたが、私の体験した実話を話すと彼女の目が少しだけ真剣な眼差しになったのです。

私は若い頃からお寺やお墓を見て歩くのが趣味のようになっていて、生まれ故郷のお寺やお墓はほとんど巡りましたし、東京に出てきてからは名前の知られたお寺やお墓も巡り尽くした感があります。

東京は有名人のお墓が多く、お墓を見て歩きながら墓石にある戒名、亡くなった年齢などを見て、亡くなった原因などを考えてみるのです。不思議なことに戒名には、その人の生き様や亡くなった原因などが映し出されるのです。

近年でこそ「墓マイラー」などといって有名人のお墓を見て歩く人たちが多いようですが、当時は墓を見て歩くと人に話すと「変な霊をもらって来たら大変」などと言われたものです。墓を見て歩く人など、本当に少なかったと思います。

しかし、この世もあの世も名前、戒名という「文字」によって動かされています。

そして、あの世に行くときにはお経という、これも多くの文字が書かれた経典を読まれ、後ろを押されてこの世とお別れをします。

そのような不思議な文字の世界にひかれてお寺やお墓を巡り、そしてお寺で行われている写経会などにも数多く参加しました。

しかし私は、なにか違和感を覚えるようになったのです。

写経用紙には写し書きするように下書きのお経が印刷されていて、それを上紙に写していくのですが、何百枚書いても自分自身の気持ちが伝わった気がしないのです。写経する経典も、お寺によって少しづつ内容が違うものがありました。般若心経や観音経《かんのんきょう》など。

写経といえば現在はほとんど般若心経が中心です。あらゆる経典の中でも特に経典からよりすぐったものの集大成と言えるからです。また、写経の歴史は日本よりインド、中国が歴史が古く原点と言えます。中国は文字の国、経典には、当然「かな文字」（日本で作られた文字）も一切ありません。

写経を始めて3年目に入り、様々な独自の思考や改善を行い、結論として写経は

- **「下書きを使わずに経典を見ながら書く」**
- **「無を貫く（何も考えずに無の心境で書くこと）」**
- **「中国の原点である象形文字を加える」**

などなど独自の方法を確立しました。

そうして写経を続けていたある日、とんでもない世にも不思議な出来事に遭遇しました。これまでの私の人生で一番の驚きと言って間違いありません。


その日は夜遅くまで写経をしていて、眠気も飛んでしまうほど筆が進んでいました。ちょうど真夜中の3時くらいです。

写経をしている私の目の前に――

私の20倍ほどはあると思える大きな観音菩薩があらわれたのです。

(その時の仏像の顔を後から様々な辞典で調べると、紛れもなく観音菩薩でした)


驚きで声も出ず、金縛りのような状態になりました。

私は一瞬、起こっていることが現実なのか、幻なのかもわからないほどでした。

人知ではかり知れないものがあることを確信した瞬間でした。


この日を境に、私はそれまで占いとは全く別の仕事をしていたのですが、占いの道に入る決断ができたような気がしましたし、それに対する迷いもなくなりました。

観音様が目の前からいなくなったあと、なにか違う世界に呼び込まれたような不思議な気持ちになったのです。

それ以来、次々と幸運と呼べる出来事に遭遇しました。まさに幸運の出会いです。私の生まれ故郷の山梨放送からラジオの仕事が、その後、テレビ山梨からテレビの仕事の依頼が来たのです。まだ占い師としてアマチュアの時にです。

信じられないことでした。ラジオは自分の占い師としての名前がついた「なかやまうんすいのワンポイント姓名学」という番組です。

それからはテレビ、ラジオどちらも2年間以上のレギュラー出演を続けました。その間に、東京や関西のテレビ、そして本の出版と続きます。別の仕事を続けながらの素人同然の私をテレビ、ラジオの番組に長く出演させてくれた局の皆さんに今も心から感謝していますが、観音菩薩の力がなかったら実現しなかったのではないでしょうか。

観音菩薩が私に道を授けてくれたのだと今でも思います。

そのことを、その中学生の彼女に話すと鼻で笑ったような態度をしていましたが、帰りの道中に両親が一生懸命に話してみて、彼女は写経だけならやってもいいと言ったそうです。

詳しい写経の方法を連絡すると、最初は何日かに一回くらいしか書かなかったものが、いつしかハマるような感じで連日続けて書いたりするようになりました。

そして、300枚に達した日に彼女も「あの体験」をしたのです。

観音菩薩が目の前にあらわれたのです。

それはもう、腰を抜かすほどの驚きで家中が衝撃を受け、夜中なのにすぐにお母さんから連絡がありました。

お母さんはあとになって、「あの日から娘の生き方が変わったと思います」と話してくれました。

その彼女もそれから改名し、何年かして結婚。今は3人の母、夫は都内で会社を複数経営し、国内に支社もたくさんある裕福で幸せな生活をしています。

優しいご主人は、彼女の数々の過ちを気にもとめずに受け入れてくれたのです。

この奇跡とも呼べる観音菩薩体験はこれまでに写経を約100人に実行してもらい、その中の11人ほどが体験しています。

体験したあとはみなさん驚きの「幸運な出来事」に遭遇しています。

体験できる、できないは「心を無にできるか」の違いだと思います。

「無とは空」なのです。

無の境地というのが、実は人間にとっては何よりも難しいことなのです。

そしてもう一つ、共通していることがあります。

「観音菩薩」に出会った人達は、みなさん**何時間も続けて写経を行っていた**ことです。

私も写経を行い、「観音菩薩」に出会えたのは、5時間ほど行った後でした。

中学生の彼女は、夜から明け方まで写経をしている時に「観音菩薩」に出会っています。

「無」になるということ

この般若心経に幸運象形文字を加えた写経、すなわち「あなたの目の前に観音菩薩があらわれる写経」を行って、実際に観音菩薩に出会えて奇跡の出来事を体験した人達のほかにも、観音菩薩が目の前にはあらわれていないけれども、運勢が好転し、お金に縁ができたり、愛情運に変化が起きて幸せな結婚をしたり、好きな人があらわれたり、仕事で出世したり、健康に良い結果が生まれたという人達は大勢います。

それだけ本書の写経は特別なものです。

観音菩薩に出会える最大の秘訣、条件は本文中に書いているように、「無」の心に成り切ることです。

仏教でも一番難しいといわれている、「悟《さと》り」をひらくための必須条件とされているのが「無」なのです。

もう一つ、観音菩薩に出会えたり、出会うところまではいってないけれども願いがかなった人達に多く見られるのが、写経の時に、金色のものを身に着けたり、周りに置いたりしたという人達です。

無意識でやっていた人も多いのですが、金色のネックレスやイヤリング、指輪、そして金色の小物や文房具などです。貴金属の金でなくても金色でいいのです。

金色は観音菩薩が「一番好きな色」なのです。観音菩薩の周りの仏具などに金色の物が多いのも納得です。金色は神の色ともいいます。

写経の時には「金色の物」。これも参考にしてください。

まったく普通の子が、あっという間に!?

ここ数年で大人気となったアーティストAさんは、以前からこの写経を行ってきました。

それまでは、数々のオーディションでも、だれからも見向きもされませんでした。そんな日々が続くとどんなに自信を持って取り組んでいても、自信喪失し、時代に取り残された、時代遅れと自分を責めてさらにマイナス思考に陥ります。

そんなときに、クスリなどに手を出して芸能界から消えていった人もいます。

私は、芸能界の人達にいつも言うのは、自分は特別なんだと思い、顔、スタイル、歌、演技などすべてに自信を持って、オーディションに何回落ちても、あなたの良さを相手がわからないだけ、通じないだけなんだと。

あとは、受かる、受からないは「運」だけなんだから運を身につけなさいと。

Aさんは、その言葉を信じて、写経を行って約2年後に人気に火がつきました。

売れると、それまでは誰からも美人とは言われなかったというのに、可愛い、美人と言われ、背も大きくはないのに、スタイルがいいと言われます。

露出によって変化するということもありますが、有名になればその存在そのものがスターであり、あこがれなのです。

誰にも知られなかった存在が、街に出ればみんなから振り向かれ、スマホを向けられ、声を掛けられ、サインを求められ注目されます。

同じ人間が「**運**」**一つによってこれほどまでに変わる**のです。

自分にしかない個性が目覚めた瞬間です。

それと、出会って自分を評価してくれた人たちに**感謝の心を忘れない**ことです。

例えば、地方などに行った時に、その地方のちょっとしたお土産を送ったりする心遣いは大事なのです。高価なものでなくてもまったく構いません。気持ちなのです。

感謝の気持ちが伝わることで、さらなる幸運をつないでくれるのです。

Aさんは、売れたあとに私に言いました。

「先生、観音菩薩の写経、他の人には絶対やらせないでください」と。

私がなぜと聞くと、Aさんは、

「こんな魔法みたいなことは、ほかの人が使って売れてきたら嫌なんです」

その気持ちはわからなくもありません。しかし、私は、

「そんな小さな気持ちじゃダメ。みんなが幸せになれれば一番良いことだと思わなければ」と答えました。

Aさんは、「すみませんでした。そうですよね」と明るく笑いました。

彼女は、超売れっ子になった現在でも、なぜ急に売れたのかまったくわからない、不思議と言います。観音菩薩様しかありえない、と。

観音菩薩はあなたに奇跡を呼んでくれます。

これまで、ごく限られた人のためにだけに行ってきた「あなたの目の前に観音菩薩があらわれる写経」を、本書で初めて公開しました。

写経は心を込めて行ってください。

そして、「自分だけ良くなれば…」とは考えないことです。

「無」とは、「邪念」を捨てることでもあるのです。

観音菩薩と写経と円空

観音菩薩とは、

「自己をかえりみずにすべての人びとを救済するために全力を尽くす」

このことが最大の特徴の菩薩です。

普賢菩薩《ふげんぼさつ》、千手観音《せんじゅかんのん》、十一面観音《じゅういちめんかんのん》など多くの観音様がおられます。人々を一刻も早く救うために姿を変えられるからです。

観音菩薩は、〝現世利益をもたらし、さらに、どのような災難でも立ちどころに消えてなくなる。危害を加えようとした相手さえも、いつくしみの心へとかわる。病や、障がい、飢餓、さらには、処刑を言い渡されても、処刑する立場の者が身動きさえ取れなくなる〟そのような奇跡を次々起こすとされています。

観音菩薩と同じように、人々を救済するという考えで、観音菩薩などの木仏像を彫り続けた江戸時代の僧に、「**円空**」がおられます。

32歳から仏像を彫り始め64歳で母の眠る地において、断食修行を行い即身仏になるため入定《にゅうじょう》（断食の修行ののちに魂が永久に生き続ける状態に入ること。円空の行った最も過酷な修業と言われる入定は、経をとなえながら土中に、最後は生き埋めとなる修行で、弘法大師空海も行っています）を行いました。その生涯を終えるまでに12万体もの仏像、世に言う「円空仏」を彫りました。

円空は日本全国を行脚巡礼しながら、貧しい人たちにその場所にある木々を使って仏像を彫り、与えました。

その仏像は、時には川で溺れている子供の浮き輪代わりになって救ったり、寒さに凍えている人たちを薪《たきぎ》代わりに燃やされて暖めて命を救ったと言い伝えられています。

円空は、行脚巡礼の折に寺や神社にこもり修行をし、写経を行っています。

50歳の時に、現在の群馬県富岡市の貫前《ぬきさき》神社で大般若経を音読し、写経を行っています。奥書に墨書をのこし、観音像も彫っています。

私もこの神社はこれまでに何度も訪ねていますが、今も円空のいた時代にタイムスリップするような不思議な空間を感じます。

何十年か前、観音菩薩に魅せられた私は、観音菩薩を何体も彫りました。また、観音菩薩を作られている人のところに伺い作っているところを見せていただきました。当時、私の一番気に入っていた観音菩薩像に手を加えて、ダイエーホークス（現・ソフトバンクホークス）の井口資仁選手に差し上げたことを思い出します。

彼の名前を改名した何年か後のことです。

写経は彼に代わって、私がしばらくの間続けて行っていました。

彼はその後、メジャーリーグで大活躍、帰国後はロッテマリーンズの選手、そして監督に。現在はＮＨＫの野球解説者として活躍しています。

なにか、観音菩薩との縁を感じます。

円空の仏像に観音菩薩が多いのは、私生児として生まれ、7歳の時に洪水で母を亡くし、その母への強い愛と、観音菩薩の優しい微笑みが重なるからではないかと考えます。

円空の彫った観音菩薩などの仏像は、円空が対価など全くなしに人々に与え続けたのですが、現代までに残っているそれらの円空仏を、高い拝観料を徴収して年数回御開帳を行っている神社仏閣もあります。

人びとの救済のために自己を顧みず行脚巡礼してきた円空の思いとはかけ離れている気もします。


観音菩薩と円空。

すべての人々を救済するためにこの世に誕生したのではないでしょうか。

そして、そこに共通するのはやはり「**写経**」だったのです。

観音菩薩を御参りし手を合わせて祈る。しかし、これだけでは観音菩薩は一人一人の目の前にあらわれて願いを叶えてはくれません。

ぜひ、この本の「写経」を正しく行って、あなたの目の前に観音菩薩を招いて奇跡を体現してください。

第二部

「幸運象形文字」を書こう

２０１５年に発売された『願いがかなう幸運象形文字』は、たくさんの反響を頂きおかげさまでベストセラーとなりました。

読者の皆様本当にありがとうございました。

多くの方々からのご要望にお応えして、今回本書ではさらに「**愛情に関しての強い効力のある象形文字**」、そして「**願望実現のためのこれまで以上の大きなパワーを持った象形文字**」などを加えて、皆様の願望実現をかなえる内容となりました。

前回の本の読者の方々からの反響は凄まじいものがありました。

数々の奇跡の出来事が身近で起こったり、多くの願い事が成就した。どん底からはい上がることができた。大金を手にした。などなど、私も驚くほどの喜びの声を頂きました。ますます精進してより良いものを出さなくてはいけないと思いました。

象形文字の霊力が数千年の時を超えて私達に奇跡と感動を与えてくれたことに改めて感謝するとともに、さらなる奇跡に向かって、読者の皆様の思いが届くことを念じてバージョンアップの内容となっています。

ぜひ本書の内容を実行して、あなたも幸せな人、幸運な人になってください。

幸運象形文字とは

今、密かに「古代文字」が人気を呼んでいます。

今から３０００年以上も前の中国で使われていた「甲骨文字《こうこつもじ》」や「金文《きんぶん》」などの文字が、２０１４年頃インターネットを中心に人気を集めたのです。

それは、「鼎（テイ／かなえ）」という漢字です。

この漢字は、中国の器をあらわす文字なのですが、この甲骨文字のいくつかのバージョンが可愛すぎると話題になっていたのです。

鼎の甲骨文字

どう見てもネコですね（笑）。

実物を見たまま文字にする象形文字だから大昔の人にはこう見えていたのでしょう。

古代文字は、この文字だけでなく、どれも見れば見るほど可愛らしいものがいっぱいです。わざわざ現代風にアレンジしなくてもそのままで「可愛い」と大人気です。

もちろん、可愛いだけではありません。**生きた文字、物の形をそのまま残した文字には魂が宿っている**のです。

だからこそ、これらの中でも最もパワーを持った文字を実際に使っていくことで、人間の運命に大きな幸運をもたらしてくれるのです。

約3600年前の中国殷《いん》の時代（紀元前17～11世紀）。

この時代を日本に当てはめると縄文時代になります。

発掘によって発見された中国最古の文字は、亀の甲羅や獣の骨に彫り込まれたもので甲骨文字と呼ばれています。

では、なぜ亀の甲羅や獣の骨に文字が刻まれていたのでしょうか。

それは、殷代の王のもと、神との交信のために盛んに占いが行われていたからです。

祖先の祭祀や、戦いに勝てるかどうか、雨が降るかどうか、ありとあらゆる事について占いを行い、神に尋ねたのです。

政治などの大きな流れもこの占いから始まっているといっても過言ではありません。

十日ごとに次の十日間の吉凶を占うという習慣もありました。


「文字」は、その占いのための大切な道具でした。


占いの方法は、亀の薄い腹の甲に、もぐさのようなものを置き、それを燃やしてできる割れ目により、吉凶を占うというものでした。

しかし、２００３年にはさらに古い文字が発見され、紀元前７０００年紀のものと判明。

これが歴史的に立証されると、これまでよりも数千年も前にさかのぼり、人類が文字を発明し生活に取り入れていたことになります。

それほど古くから象形文字という生命を吹き込まれた文字が、人間の知恵や暮らしを支え助けていたのです。

あなたの人生は、文字に守られている

そう言ったら、皆さんは驚かれることでしょう。

でも、それは事実なのです。**生まれてからすぐに、あなたには、あなただけの名前という〝文字〟がピッタリと寄り添ってきたはずです。**

洋服や食べ物、住まいや環境が変わっても、名前は常にあなたと一緒です。

その名前の漢字、ひらがな、カタカナの元となっているのが古代文字の象形文字です。木や花や山や川などの姿や形、さらには、動物や神といったものまでも描いて文字にしたものです。

一方、**インドで生まれたとされる梵字《ぼんじ》は、象形文字とは違い表音文字《ひょうおんもじ》です。発音す**

るときの口や舌の形を表したものとされています。ですから、本来は意味をもちません。韓国のハングル文字なども表音文字として有名です。

梵字の歴史は象形文字の誕生から１０００年から１５００年以上も後、インドで使用されるサンスクリット語を表記するための文字として生まれています。

象形文字などの表意文字とハングルや梵字などの表音文字の違いは、わかりやすく食べ物にたとえると、自然から生まれた食材そのままの形が象形文字。手を加えたり新たに合成してつくられたものが表音文字と考えてよいでしょう。

３０００年以上も前から、数千年の気の遠くなるような長い年月を経て、たくさんの文字が生まれてきました。

その文字の中に、**ある特別なエネルギーを持った文字が存在する**ことを私は長年の研究によって突き止めました。

文字はもともと占いのために生まれたものですから、呪縛的なものや呪いなどシャーマン（人間の世界と神の世界を行き来することができる）的なものが多いのですが、その中から大きな幸運を授けてくれるような文字を選りすぐりました。

中国で生まれた象形文字の持っている強大なパワーとエネルギーは、森羅万象の「気」を十分に取り入れ、時代をも突き動かすほどの計り知れない魔力を秘めています。

３０００年以上も前からシャーマン達が象形文字を使って運命を占い、運命を変えてきた事実は、何よりも歴史が物語っています。


古代中国の秘境の地と言われるような場所で、自分たちの幸せのためだけに使われていたような文字。

持っているだけで金運や幸運が寄ってくるような文字。

愛が突然かなうといった文字。

私がたどり着いた大きな力やみなぎるパワーを持った特別な文字など。

その計り知れない**『幸運象形文字』の魔力を、あなたのこれからの人生に活かしてみましょう。**
本書で今回初めて公開する『幸運象形文字』もたくさんあります。

使い方は、**本書の66ページ以下に掲載されている、あなたがこうありたい、こうしたいと思う『幸運象形文字』に掌を当てたり、その文字を書いたり、文字を切り取り洋服やバッグや車の中など大切なものにしのばせてください。**


この本にある『幸運象形文字』は、決していたずらで使わないでください。

生きている文字は、あなたの願いに反応してくれます。

だからこそ遊び心で使ってはいけません。

生きている人間と同じように魂があるからです。


そして、**願いがかなったら必ず心を込めてお礼を言ってください。**

願いがかなった幸運象形文字カードは、一掴《つか》みの塩と一緒に土の中にかえしてあげてください（植木鉢の中などでも良いです）。

大地の中で自然界へとゆっくりとかえっていきます。

あの人も「幸運象形文字」で人生が変わった

「世の中で一番大切なものは何?」と聞くと、必ず「命」と答える人が多いのではないでしょうか?　もちろん命は大切なものです。

でも、命がお金で売り買いされたりしているのも現実です。

貧困国や戦争地域などでは、命がお金で左右される「道具」となりかねません。

私は、これまでたくさんの女優さんやタレントさんの運勢をみてきましたが、この人達の関心事に共通しているのもやはり「お金」でした。

「恋愛するだけなら格好いい人だけど、結婚するならやっぱりお金持ちがいい」

私のところに来る一般の女性相談者も、ここ数年は長引く不況などの影響もあると思いますが、「お金のある人と一緒になりたい」「性格が良くてお金持ちの人」など、ほとんど考えることは一緒です。

相談に来た40代の女性は、「正直、人間としてある程度の生活ができなければ心にゆとりも持てないし、人にも優しくできなくなってしまう」「人を愛することだって、何日もお金の心配をしていたら考えられないですよ」と言いました。

そうかもしれません。**人間の命をつなぐのもまたお金なのです。**食べていく、生活していく、この基本が今の日本ではより切実になってきていると実感している人達が多いのです。

以前、歌手としても大ヒット曲を持つ男性俳優Aさんから相談を受けて、私は彼の名前を変えてあげました。**名前の文字を『幸運象形文字』に変え、強い財力のある名前にした**のです。そして、毎日名前の「文字」を書くことを勧めました。

それから数か月後、彼が住んでいた都心の土地に高層ビルが建つプロジェクトが進行しました。彼は、「早く売ってしまいたい」と相談してきたのですが、私は「まだ、待ちなさい」と、不動産業者に対して首を横に振ることをアドバイスしました。

結果、彼の家の権利は高騰。売ってしまいたいといっていた時期より10倍近くのとんでもない金額で売却できたのです。**名前にある『幸運象形文字』を毎日書くことで、大きな財運を招く結果となりました。**

お笑いタレントのBさんから相談を受けたのは、彼がまだアルバイトをしているとき。Bさんは、超のつくほどの真面目人間です。小さい頃から家族と死別するなど人一倍の苦労人でもありました。

そんな彼から、お笑いタレントになりたいと相談を受けた私は、彼の名前の中に**金運に恵まれる『幸運象形文字』を入れて改名**しました。するとどうでしょう。数か月後には、立て続けにテレビのバラエティ番組に出演することになりました。しかも、MCは人気アイドルタレントです。嫌でも注目されました。

その後は、お笑い番組で一気にブレイク。大人気となり、収入は約1000倍近くに膨れあがります。

芸能界は、浮き沈みの激しい世界です。彼は、その時の収入を元手にアパート経営に乗り出します。2014年には、念願のテレビCMに出演するなど、仕事と不動産の両立でこれからも芸能界の荒波に流されることなく立ち向かって行くことでしょう。

Bさんもまた、**『幸運象形文字』を手に押し当てたり、手や足にも一所懸命書いたりして使い続けた**一人です。

「常に陽の当たる花道を歩んできた野球人。彼の行く処には常に奇跡が起こる」そう言われ続けてきた、プロ野球千葉ロッテマリーンズの前監督で野球解説者の井口資仁さん。しかし、彼の野球人生にも最大の危機がありました。

メジャーリーグ、サンディエゴ・パドレス在籍時の「サンディエゴゆうゆうインタビュー」で、「人生最大の転機は、いつ？」と聞かれ、井口選手は「ダイエーホークス時代の3、4年目。1999年、2000年頃です。成績が残せず、どうすればプロで生き残れるかと暗中模索していました。転機を求め**名前を井口忠仁から井口資仁へ**変えました。

2001年に納得できる結果を出して野球人生最大の危機を乗り越えることができました。（井口選手は、この年、プロ野球史上3人目となる30本塁打、40盗塁を記録）」と、晴れ晴れと答えています。

井口選手は、ダイエーホークス時代に日本一。メジャーリーグのシカゴ・ホワイトソックスでワールドチャンピオン。その後、移籍先のフィラデルフィア・フィリーズでワールドチャンピオン（2個目のワールドチャンピオンリング）。そして日本に戻ってきて千葉ロッテマリーンズで日本一となっています。まさに強運の男です。

私が井口選手の名前を改名した時に使った文字は、**「金運」と「強運」の特に強い『幸運象形文字』**です。強い運気を持った文字が人間を変えてくれます。逆境を跳ね返してくれるのです。

『幸運象形文字』を毎日書くことで、嘘のように強い運勢となります。私は井口選手にも、改名後「毎日文字を書きなさい」と言い続けました。

彼は一所懸命に書き、足の裏にも文字を書きました。彼はその後も大活躍。これまでに合計何十億という契約金、年俸を稼ぎ出し、人生を謳歌しているのです。また、彼は野球界では珍しいほど真面目で努力家という点も見逃せません。

これまでに挙げた例は、『幸運象形文字』を名前の中に使ってきた実例です。

このように、命名や改名という方法で『幸運象形文字』を取り入れられれば一番良いのですが、本書では、**それ以外の方法**を公開しますので、使い方をしっかり読んで実践してください。

幸運象形文字の使い方

さあ、いよいよ幸運象形文字を使ってみましょう。

先に書いたように、あなたが『幸運象形文字』を生まれつき名前の文字に持っていれば幸運ですが、そうでない人達の方が多いと思います。なぜなら現在の日本では人名として登録できない「神秘の文字」がたくさん含まれているからです。

本書では、本の中に『幸運象形文字』をたくさん入れてあります。現在使用されている文字の元となった古代の象形文字です。

名前にこれらの文字がなくても、本の中の文字を、

①毎日書く
②掌《てのひら》を押し当てる
③切り取って持ち歩く
④シールのようにして貼り付ける

といったことを実践するだけで効果が出てきます。

「文字」は生きものです。命あるもののエネルギーが文字に乗り移り、そのままあなたの掌の経穴《けいけつ》や経絡《けいらく》からあなたの体内へと影響し、運命を活性化させ、変えていくのです。

大勢の人を前にして話すような時に、掌に「人」という字を書いて飲み込むといった行為を聞いたり実際に行った方もいるのではないでしょうか。これも、「労宮《ろうきゅう》」という掌のツボを刺激してあがり症を防止する効果につながります。有名な歌舞伎俳優が、公演の前にいつも行っていたことでも知られています。

「人」という文字の力と、掌のツボという互いの力を組み合わせた効果です。

「人」という字を掌に書くという行為とは違いますが、漢字を腕に書いたり、タトゥーにすることがアメリカやヨーロッパで人気です。「自分が変身したように気分が良い」という若者も多く、2014年メジャーリーグ・ワールドシリーズを制覇したサンフランシスコ・ジャイアンツのサンドバル選手は、左腕に「信」の漢字のタトゥーを入れて話題を呼びました。

しかし、より強い効果を求めるなら、単なる文字ではなく**生きたままの姿により近**

い『幸運象形文字』を使うことで大きな効果が生まれるのです。

文字の歴史は甲骨文字、金文、古文《こぶん》、篆文《てんぶん》、大篆《だいてん》と次第に推移していくにしたがって、文字の原型を失っていくものも少なくありません。

この**本の中に挙げている『幸運象形文字』は生きたエネルギーを強く持った、最も古い原型に近づいた文字**なのです。

今回、本書には、とくに「**金運**」と「**愛情**」に素晴らしい効果を発揮する『幸運象形文字』を選りすぐってみました。

特別付録の幸運象形文字カードは、**一度にいくつも使うのではなく、一つのカードに決めて使ってください。**

一つのカードが終わってから、また次のカードへと移ってください。

どんな文字に凄いパワーが宿っているのか

例えば、「**佑**」という漢字は、**神が助ける**という意味を持つ幸運な文字です。

にんべんに右と書き、聖なる神の手を表します。

2006年夏の甲子園球場、東京の早稲田実業高校は、創部102年目にして初めて夏の大会を制覇しました。「ハンカチ王子」こと斎藤佑樹投手（現プロ野球日本ハムファイターズ）が、その立役者でした。彼はその後、進学した早稲田大学でも大学最後の年にリーグ戦優勝を果たし、大学日本一となりました。「持っている」と誰もが思う勝負強さを発揮した瞬間です。

日本ハムファイターズ入団後は、故障にも悩まされますが、強運は相変わらずで、2014年9月25日の対西武ライオンズ戦で好投。この勝利でチームは3位を確定し、2年ぶりのクライマックスシリーズ進出を決めました。翌朝のスポーツ紙には、「やっぱり何か持っている」の見出しが躍りました。

ファイターズ退団後は、2021年12月「株式会社斎藤佑樹」の代表として、ユニクロなど多くのテレビCMに登場。２０２４年3月には、日本テレビ「ｎｅｗｓｅｖｅｒｙ」キャスターに就任。「佑」人気はまだまだ続投中。

サッカーの元セリエＡ・ＡＣミランの本田圭佑選手。元セリエＡ・インテルナツィオナーレ・ミラノの長友佑都選手。彼らの神がかり的な大活躍も「佑」の「神が助ける」そのままではないでしょうか。大事なところで確実に決めてくれる強運を持っています。彼らの収入を見れば、「佑」のもたらす金運の大きさも人並み外れていることがわかります。本田選手は総額27億円という破格の条件でミランに迎えられました。

この文字は、もともと中国では御札《おふだ》にも使われているほどの御利益のある幸運な文字。名前にこの文字を持っていない人達は、本書にあるカードを持つことで運気を活かすことができるでしょう。神の力を借りて力を呼び起こす『幸運象形文字』です。

佑 ＝ 

そして、もう一人、忘れてはならない幸運な人がいます。

芸能界最大の超逆玉結婚と言われて一躍有名になったお笑い芸人・ハライチの澤部

佑さんです。非モテ系と言われる澤部さんが射止めたのは、従業員数約１４００人のクリーニング業界最大手の白洋舎社長令嬢。白洋舎は東証一部上場で、平成23年12月期の連結売上高がなんと４３２億円。芸能界の誰もが耳を疑うほどのこの結婚に、男は顔じゃない、〝運〟だということに誰もが納得したといいます。

彼も、まぎれもなく名前に「佑」の文字を持っています。

私は、２００８年に出版した『こんな漢字を名前に使ってはいけない』（河出書房新社刊）の中で、「佑」の文字の神がかり的な意味と、それを名前に使うことによって運が開ける理由などを詳しく載せたのですが、その後、「佑」の字を名前に付ける人達が増えているそうです。

ただし、**名前に「佑」の文字を持っていても、名前全体の画数が悪かったり、他に凶作用のある文字を組み合わせてしまうと、せっかくの吉作用も打ち消されてしまいます。**十分に注意してください。

本書では、「佑」の最も運気の強い『幸運象形文字』も掲載していますので、あなたもぜひ強運をつかみ取ってください。

これが最強の「幸運象形文字」だ！

今から何十年も前、東京銀座のど真ん中で1億円を拾い話題になった人がいます。トラック運転手をしていた彼は、拾得物として警察に届け、落とし主が現れないまま時効となり1億円を手にします。彼にはこの本の81ページにある『幸運象形文字』が大きく関わっています。

一方、芸能界で、離婚しシングルマザーから一気に大金持ちと再婚しセレブとなった女優さんには、この本の87ページにある『幸運象形文字』が大きく関係しています。

また、先頃亡くなった国民的人気俳優の遺産約40億円を相続したと噂される女性には、この本の70ページの『幸運象形文字』が大きく関係しています。

『幸運象形文字』は、53ページ、59ページ以下、92ページに書いてある使い方をしっかり読んでから使ってください。なお象形文字が生まれた3000年以上前には、文字の書き順はなく、ものの形を絵を描くように書き写していました。ですから、**これらの文字を書くときには、書き順を考えずになぞって同じように書けばOKです。**

一

神の目の前で飛び跳ねるなどの奇跡を起こす力を持つ『幸運象形文字』です。神の協力を得られます。もう一歩、前に進まない恋愛にも強く作用します。

二

良い人間関係を「心」からつくれる。思い、思われる、いたわりの心。そんな恵まれた関係をつくれる『幸運象形文字』です。

三

異性だけでなく、人そのものを強烈にひきつける。
魅力がどんどん増してくる。
そんな『幸運象形文字』です。

四

とにかく美しく、キレイに、
美しさを追求して、輝く人になる。
そんな『幸運象形文字』です。

五

老いる、衰えることを知らない美しさ。
そして若い異性から注目される。
そんな『幸運象形文字』です。

六

異性からモテる。異性をひきつける。
セックスアピールが強まる。愛と性の勝利者。
そんな『幸運象形文字』です。

七

美しくなって、宝石やブランド品などにも満ち足りた生活を送りたいと思う人にピッタリの『幸運象形文字』です。

八

才能を開花させたい、人とのコミュニケーションを上手に取りたいと願っている人にとって金運を得る『幸運象形文字』です。

九

玉の輿と言われるような出会いや、お金を生み出す人間関係に恵まれていく『幸運象形文字』です。

十

相続や、人から譲り受けることに強い霊力を発揮する『幸運象形文字』です。

十一

お金をしっかりと貯めて増やす、あるいはタンス預金などを減らさずに増やしたいと考えている人には、最強の『幸運象形文字』です。

十二

お金を借りたいと思っている時に大きな手助けとなってくれるのがこの『幸運象形文字』です。

十三

ギャンブルなどの勝負事に
特に強みを発揮します。
ここ一番に賭ける時の『幸運象形文字』です。

十四

株、債券、商品相場など、
投機的なものを買って増やす事に関して
大きな勝機を得られる『幸運象形文字』です。

十五

美に磨きがかかり、
美しくなれるための金運が身につく
『幸運象形文字』です。

十六

衣・食に関して特に金運を授けてくれる
『幸運象形文字』です。
関連した仕事に就いている人だけでなく、
今、衣食を手にしたい人にも
後押ししてくれます。

十七

お店、ネットショップなど、
時代に合った新しい感覚の商売で儲けるための
『幸運象形文字』です。

十八

才能、肉体に恵まれて、
財を成すチャンスがめぐってくる
『幸運象形文字』です。

十九

動産、不動産、人材派遣など、
コミュニケーションを必要とする仕事で
金運を得られる『幸運象形文字』です。

二十

人が集まってくる。人が群がってくる。
そういった原動力をお金にかえていく
『幸運象形文字』です。

二十一

泊まる、もてなす、接待するなどの
キーワードに関連する仕事に
大きな財力を生んでくれる『幸運象形文字』です。

二十二

物が売れまくる、
とにかく売りたいという願望がかなう
『幸運象形文字』です。

二十三

跡継ぎや、養子を得て、
金運・財運を安定、拡大したい人のための
『幸運象形文字』です。

二十四

ここ一番、ここ一発に
神の助けが欲しいと願っている人のための
『幸運象形文字』です。

二十五

棚からぼた餅を狙っている人には
この『幸運象形文字』です。
昇進や抜擢などに吉報を得られます。

二十六

お店や会社を興し、軌道に乗せたいと
思っている人にはこの『幸運象形文字』です。
脱サラにも大きな味方です。

二十七

競って勝ち取る。コンテストで選ばれたり、
周りから認められたり、有名になって
財運をつかみたい人の『幸運象形文字』です。

二十八

お金そのものへの縁を
より強めていく
『幸運象形文字』です。

二十九

周りからねぎらわれ、ほめられ、
そして与えられる運に恵まれる
『幸運象形文字』です。

三十

商品をもっと売りたいと考えている人にとって、
力強い味方になってくれる
『幸運象形文字』です。

三十一

宝くじや、思わぬ人から財をもらい受ける
チャンスに恵まれる
『幸運象形文字』です。

三十二

貸したお金や物が戻ってくる。
長い間塩漬けになった債券などが
プラスになって返ってくる『幸運象形文字』です。

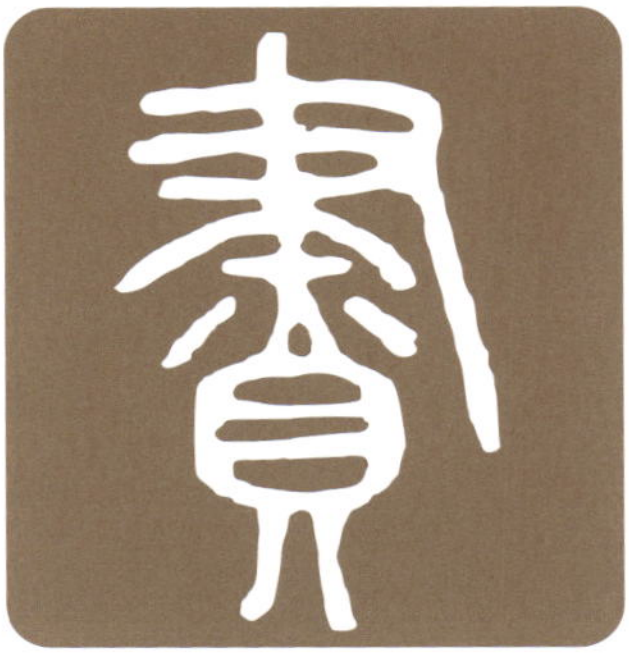

三十三

突然の贈り物や
プレゼントに恵まれる
『幸運象形文字』です。

三十四

勝負事に
一発の威力を与える
『幸運象形文字』です。

三十五

借金や保証人を
得るための
『幸運象形文字』です。

三十六

土地や商品などを買いたい時に
金運を得られる
『幸運象形文字』です。

三十七

ギャンブルだけでなく、
勝ち負けを決める勝負事に
金運を招く『幸運象形文字』です。

三十八

人から財を引き継ぐ、
もらう時に助けとなる
『幸運象形文字』です。

三十九

一発逆転、
もうどうにもならなくなった時の
切り札的な『幸運象形文字』です。

四十

どうしても人脈をつかみたい、
そして財へとつなげたいときの
『幸運象形文字』です。

四十一

お店を繁盛させたい、商品を売って金運をつかみたいと思っている人には、うってつけの『幸運象形文字』です。

四十二

プレゼントや贈り物をするための金運をつかみたいと思っているあなたの力になってくれる『幸運象形文字』です。

四十三

強力な援助者が現れたり、
ものを生みだし作りだす力を与えてくれる
『幸運象形文字』です。

四十四

仕事が忙しくなり金運をつかみたい、
現状を打開したいときの
『幸運象形文字』です。

四十五

財産を譲り受ける、
判決を勝ち取る
『幸運象形文字』です。

四十六

愛情と家庭運に恵まれる、
周りの後押しを得て金運が強まる
『幸運象形文字』です。

四十七

ツキとチャンスを
神に授けて欲しいと願うときの
『幸運象形文字』です。

四十八

何よりも健康が欲しいと
望むときの
『幸運象形文字』です。

四十九
良い友人や人間関係がつくれるようになる『幸運象形文字』です。

縁を切るための『縁切り象形文字』

今回、特別に悪いものから縁を切ったり別れるための「縁切り文字」も紹介します。

近年は、男女の間でも「出会うよりも別れる方が大変だ」という人が増えています。

しつこくされたり、ＤＶやストーカーなど、男女問わずに私も数多くの相談を受けています。付き合うきっかけがパソコンやスマホ、携帯などのサイトが多いのも理由の一つです。メールなどでは実際の性格や顔などもずいぶんと違って表現することが多いため、付き合ってしまってから「こんなはずじゃなかったのに」と思ったときには既に手遅れということが多々あるようです。

最悪の場合は、殺人にまで発展するケースも。

「別れたい」「嫌な人間関係を清算したい」「悪友と縁を切りたい」などなど。縁切りを希望する時にだけ使用してください。

間違っても、迷いがあるうちに使用することは避けてください。縁を切ってしまった後に後悔しても二度と縁の戻ることがないケースもあるからです。

五十

『縁切り象形文字』

ここまで紹介した『幸運象形文字』を簡単に、身近にすぐに使いたい方のために、次ページから切り取って使える『**幸運象形文字カード**』と、『**縁切り象形文字カード**』を掲載しました。**切り取って身近に置いたり、身の回りの物に入れて持ち歩いたり、糊や両面テープなどで貼って使う**こともできます。あなたの願望に合ったカードを使ってください。

また105ページ以下に、金運・運気が向上する『**幸運象形文字御札**』を掲載しました。使い方は、**御札に書いてある文字を、黒色の墨かマジックで上からそのままなぞって書いてください**。前述した通り、『幸運象形文字』が生まれた3000年以上前には、文字の書き順はなく、ものの形を絵を描くように書き写していました。ですから、**書き順を考えずになぞって同じように書いてください**。

『幸運象形文字御札』は、**願望に合った御札を書き上がったら切り取り、両面テープなどで部屋に貼って使います**。**自分の背丈よりも高い位置に貼ってください**。**東西南北どの方向でも構いません**。

私は、中国や日本のお店や会社に『幸運象形文字御札』を貼ることを何年も前から勧めていますが、皆さんに大変喜ばれている効果のある御札です。

特別付録

①切り取って使える幸運象形文字カード&縁切り象形文字カード（このページから）

②幸運象形文字御札（105ページから）

幸運象形文字カード

縁切り象形文字カード

一

二

三

四

五

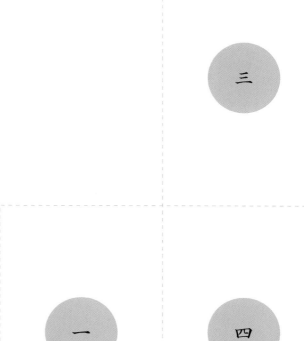

六

七

八

九

十

十一

十二

十三

十四

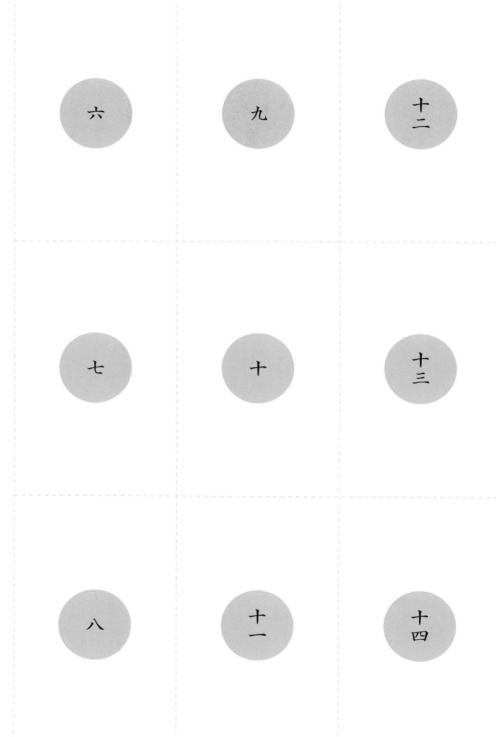

十五

十八

二十一

十六

十九

二十二

十七

二十

二十三

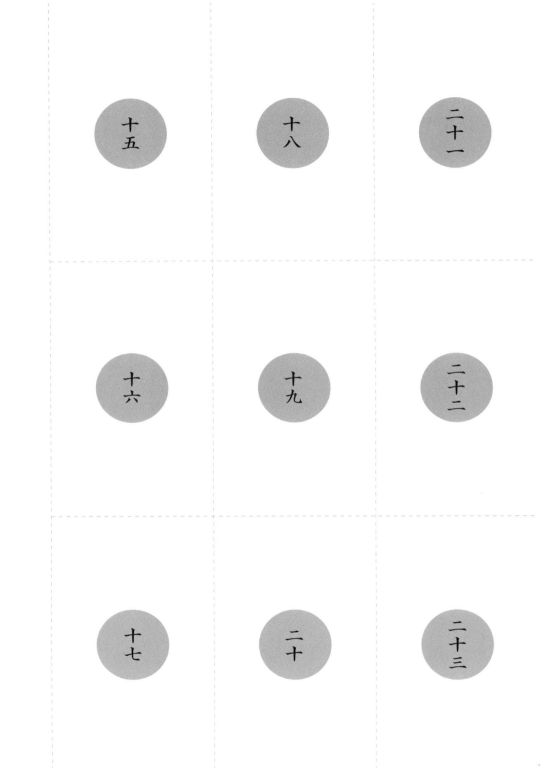

二十四

二十五

二十六

二十七

二十八

二十九

三十

三十一

三十二

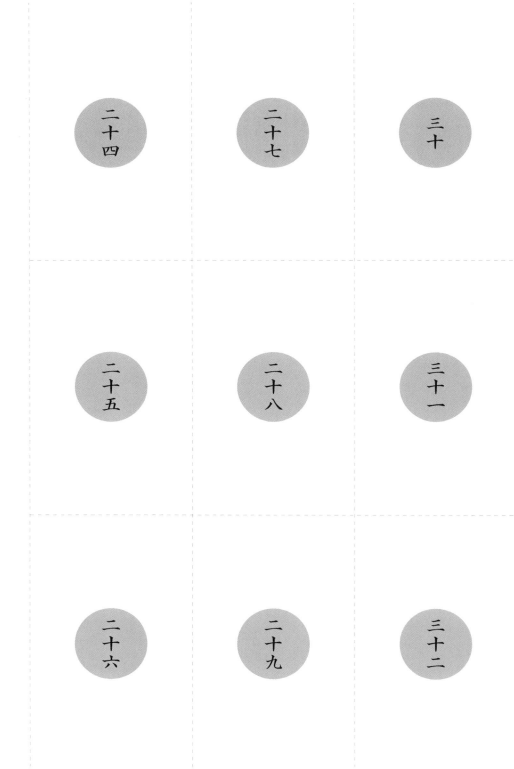

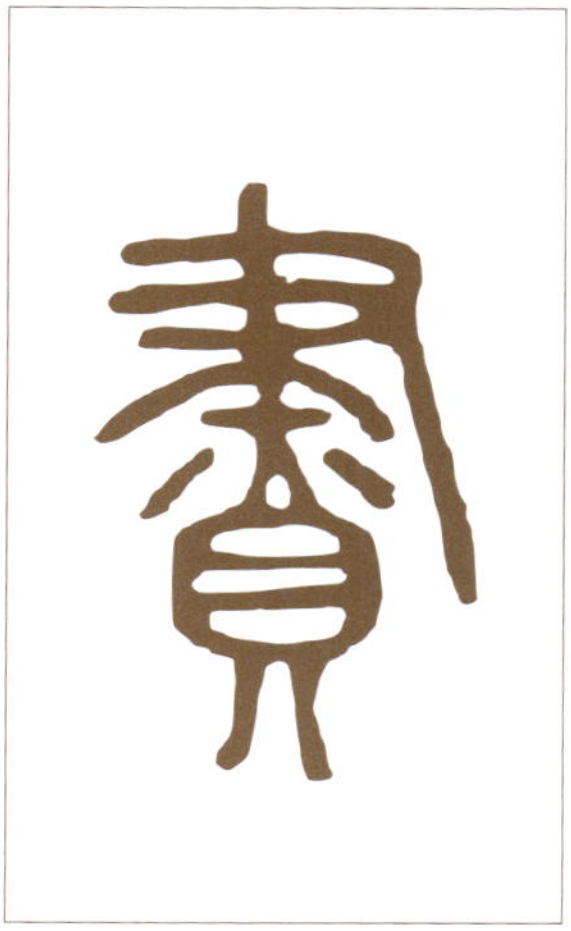

三十三

三十四

三十五

三十六

三十七

三十八

三十九

四十

四十一

天 寓 綹

竹 萬 韶

愛 文 羅

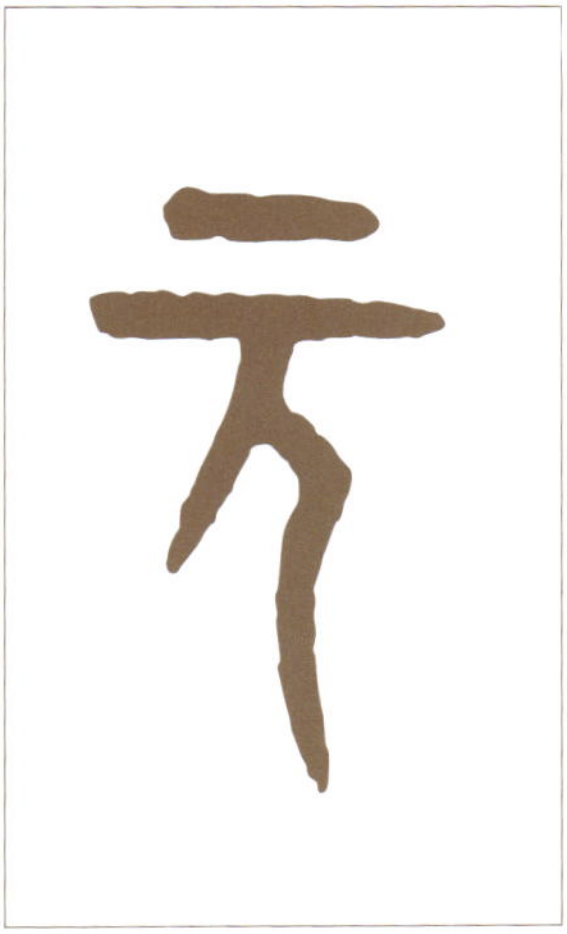

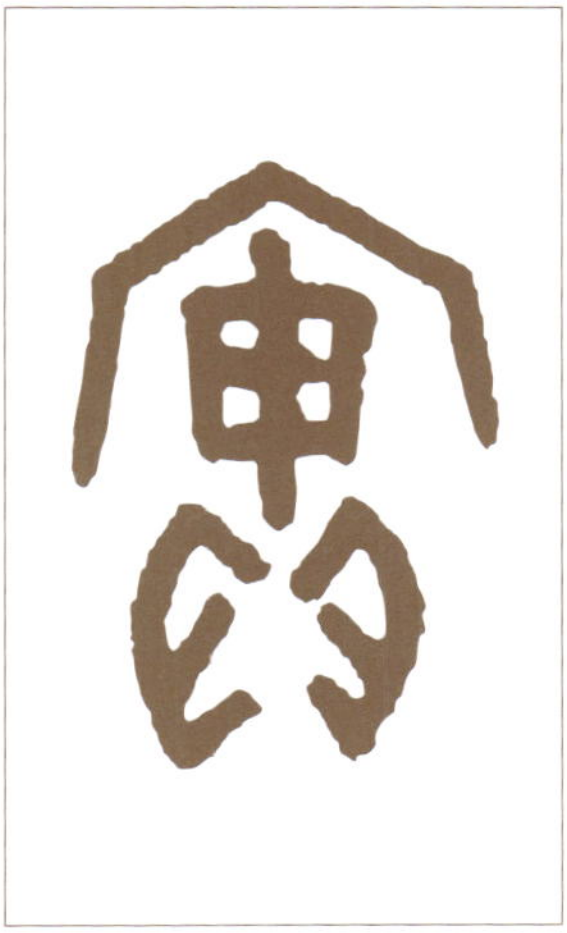

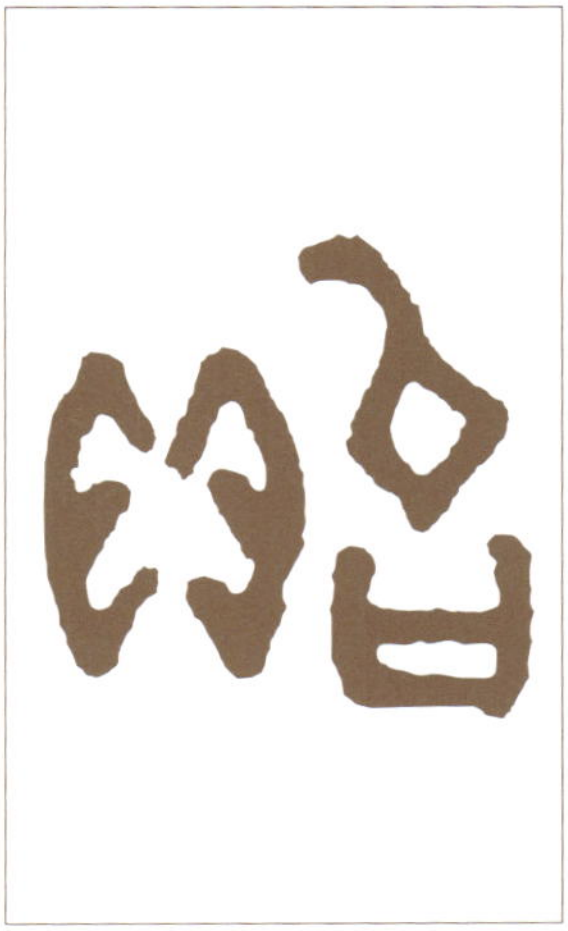

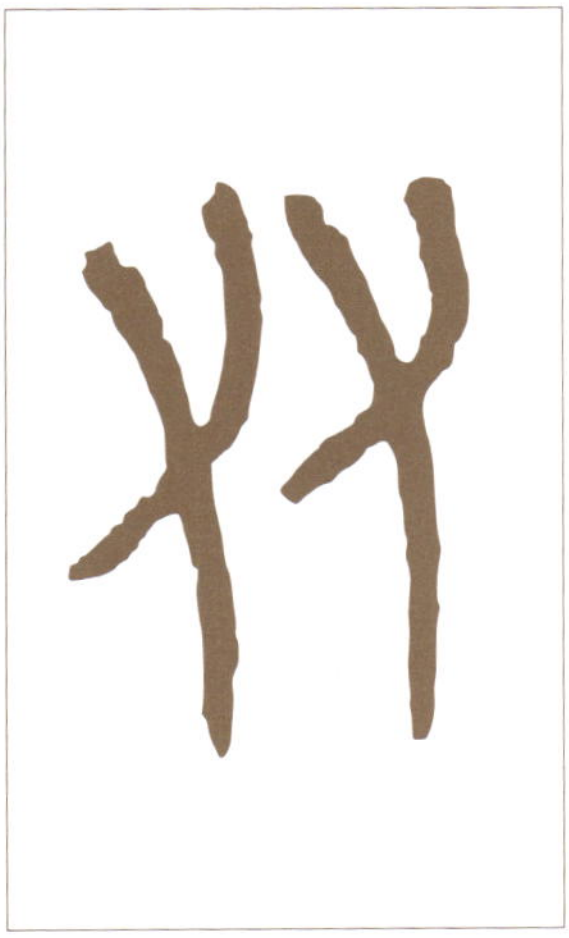

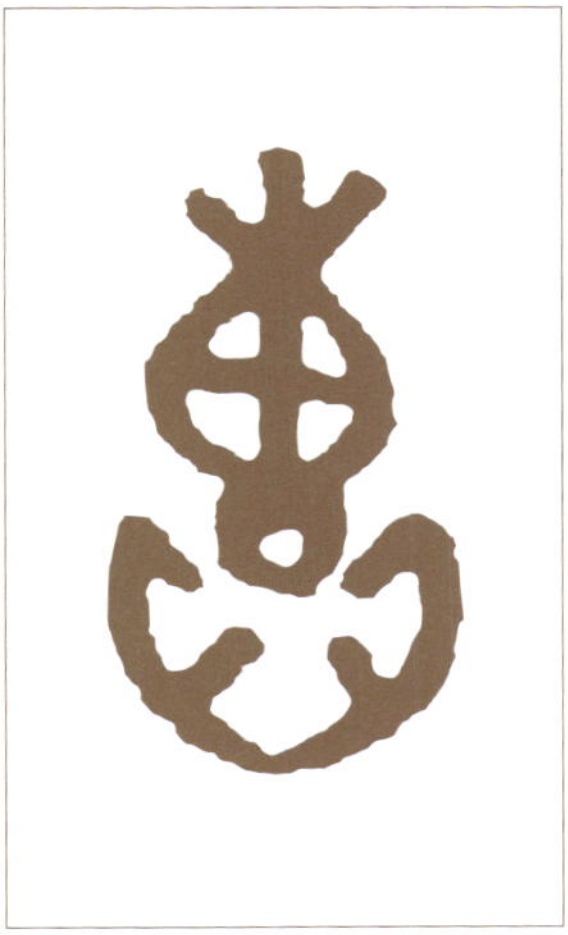

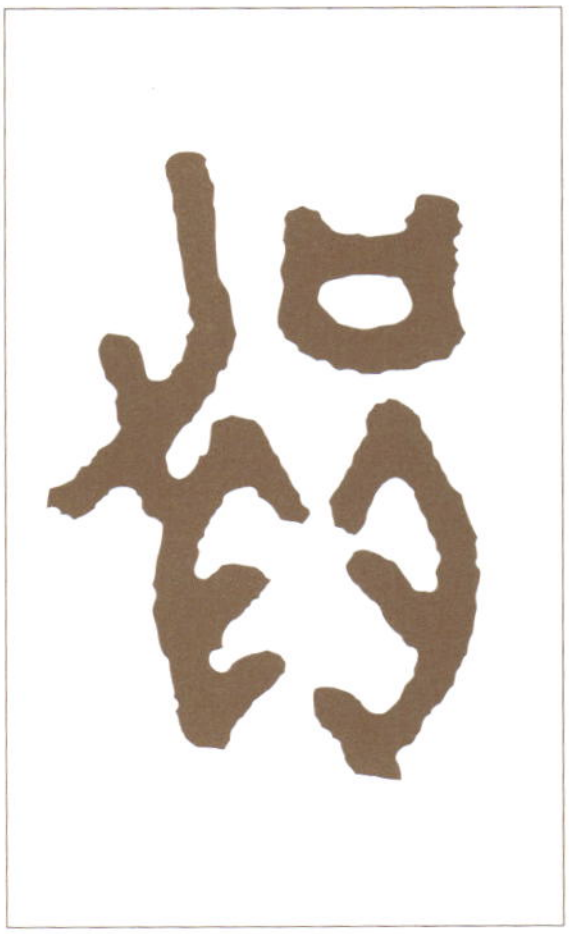

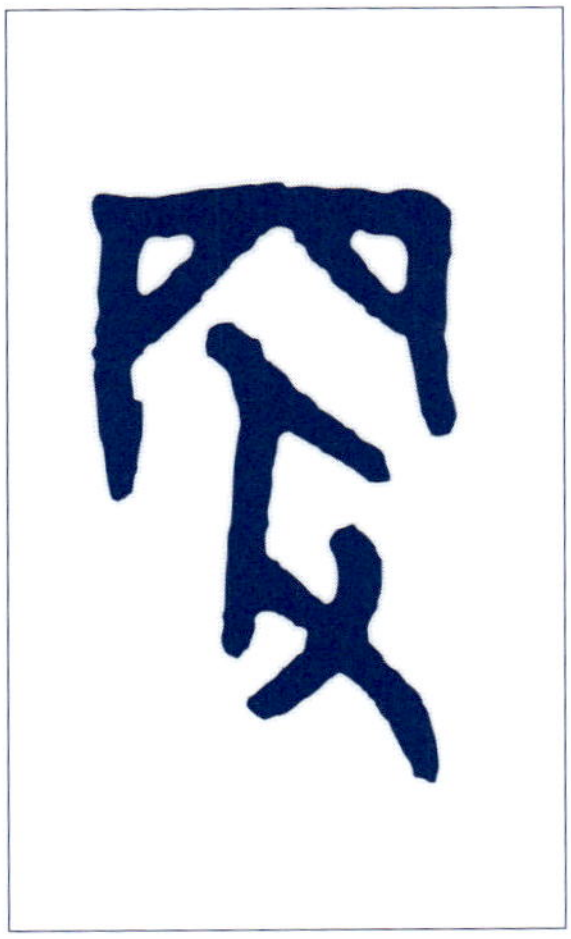

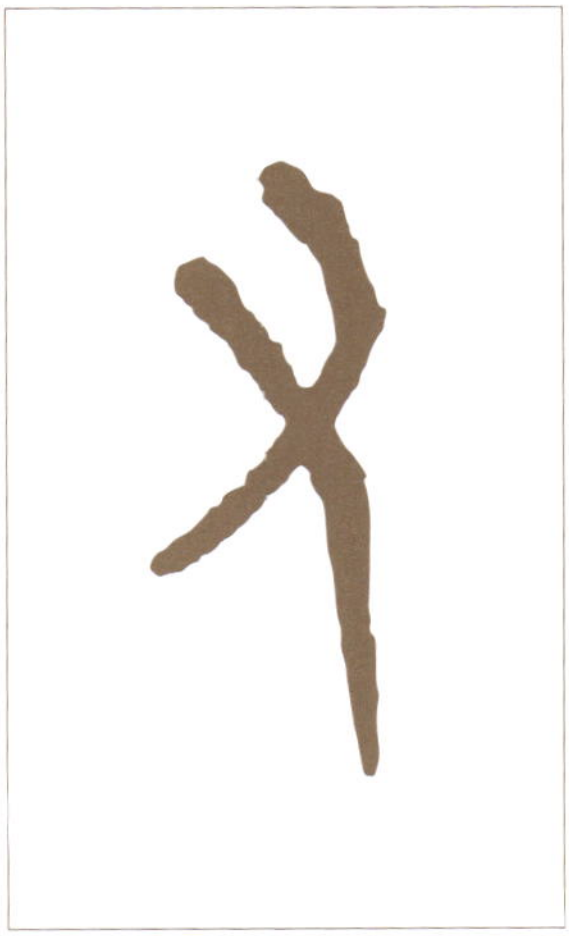

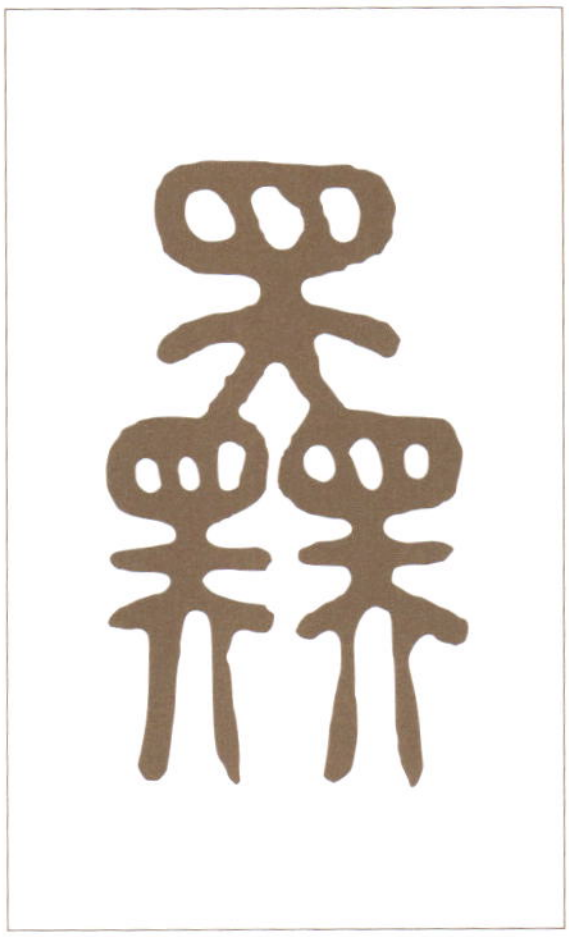

四十二

四十三

四十四

四十五

四十六

四十七

四十八

四十九

五十

幸運
象形文字
御札

お金を生み出す人間関係に恵まれる

❖黒色の墨かマジックで上からそのままなぞって書いてください。
❖書き上がったら点線に沿って切り取り、部屋に貼って使います。
❖自分の背丈よりも高い位置に貼ってください。東西南北どの方向でも構いません。

九

幸運象形文字御札

お店や会社、独立起業が軌道に乗る

❖黒色の墨かマジックで上からそのままなぞって書いてください。
❖書き上がったら点線に沿って切り取り、部屋に貼って使います。
❖自分の背丈よりも高い位置に貼ってください。東西南北どの方向でも構いません。

二十六

幸運象形文字御札

現状を打開し、金運をつかむ

❖黒色の墨かマジックで上からそのままなぞって書いてください。

❖書き上がったら点線に沿って切り取り、部屋に貼って使います。

❖自分の背丈よりも高い位置に貼ってください。東西南北どの方向でも構いません。

四十四

幸運
象形文字
御札

財産を
譲り受ける、
判決を
勝ち取る

❖黒色の墨かマジックで上からそのままなぞって書いてください。
❖書き上がったら点線に沿って切り取り、部屋に貼って使います。
❖自分の背丈よりも高い位置に貼ってください。東西南北どの方向でも構いません。

四十五

幸運象形文字御札

愛情と家庭運、金運に恵まれる

❖黒色の墨かマジックで上からそのままなぞって書いてください。
❖書き上がったら点線に沿って切り取り、部屋に貼って使います。
❖自分の背丈よりも高い位置に貼ってください。東西南北どの方向でも構いません。

四十六

幸運象形文字御札

ツキとチャンスが授けられる

❖黒色の墨かマジックで上からそのままなぞって書いてください。
❖書き上がったら点線に沿って切り取り、部屋に貼って使います。
❖自分の背丈よりも高い位置に貼ってください。東西南北どの方向でも構いません。

四十七

幸運象形文字御札

健康になる

❖黒色の墨かマジックで上からそのままなぞって書いてください。
❖書き上がったら点線に沿って切り取り、部屋に貼って使います。
❖自分の背丈よりも高い位置に貼ってください。東西南北どの方向でも構いません。

四十八

幸運象形文字御札

良い友人や人間関係がつくれるようになる

❖黒色の墨かマジックで上からそのままなぞって書いてください。
❖書き上がったら点線に沿って切り取り、部屋に貼って使います。
❖自分の背丈よりも高い位置に貼ってください。東西南北どの方向でも構いません。

四十九

文字の力

先頃、子供の名付けを依頼された神奈川県在住のＹさん。

「幸運象形文字にほんとにそんなにすごい効果があるの？」って最初は思ってました。

最初は半信半疑で本を買って、実際に本の中の文字を書いたり、貼ったりしていたところ、とんでもない幸運が転がり込んできたんです。

転がり込んできたとしか言いようがないんですもん。

これまでと同じ生活で、別段変化や努力もしてないし。

正直、これまで読みきれないほど開運やスピリチュアル本を買いましたよ。

でも本当に、この本が初めて当たったんです。

こんなこと本当にあるんだなって……」

と、話してくれました。

彼女は、『願いがかなう幸運象形文字』の本を買い、いろいろと試していると一回り以上年上のバツイチ男性と出会い結婚。

「本当はもっとイケメンのいい感じの男性とって夢をずっと持ってたけれど、私も30半ば、清水の舞台から飛び降りたつもりで結婚を決めたんです。

ところが先生、義母さんの遺産や、相続した不動産のここ数年の値上がりやらで、本当結婚してつくづく幸せです。

昔は売れないけど雑誌の編集者としてプライドもあったし、読モ（読者モデル）もやったほどそこそこ見映えも良かったし、周りを見返したい見栄も。それがずっと空回りしていて。

でも本当に今は幸せ。

やっぱりお金に困らない。ある程度好きに使えるって、女にとって最高の幸せ。

旦那もそこそこ格好よく見えますよ。

でも私ね、幸運象形文字の前に先生の名前の本見てて、私の名前に「真」の文字あったでしょ。本当に疫病神って言われてましたもん。

本当にずっとツイてなかった。

先生の本、片っ端から読んで、まさしくって思いました。


名前変えたのも良かったと思います。

『真』の字を取ったから。


だって、秋篠宮眞子様が結婚をされたでしょ。

眞子さまは、皇族の結婚の儀式はしないで、皇室を離れる時に、女性皇族が受け取る約1億5000万円の一時金の受け取りも辞退して皇室離脱。

そして可哀想なくらいのバッシング。

好きな人と結婚をするだけで、皇室だからですよね。

小室さんのお母さんのこととかまで書かれて。

美人だし、でも大変な苦労してるなって思って。小室さんが弁護士になった時に良かった～って思いました。幸せになってほしいなって。

本当に先生の本に書いてある『真』の文字は怖いって思ったんです」

彼女は自分を振り返ってみてそう言いました。


「**真**」・「**眞**」（旧字体）の文字に関しては、私の書いた多くの本や、雑誌やテレビなどでもその怖さをこれまでたびたび伝えてきました。

「真」は、ひっくり返った人、あるいは、死んで首を逆さにかけられたさまを意味する文字です。この文字を持つ人の多くが、首から上のトラブルに悩まされます。

首から上のトラブルというのは顔や頭や精神を表しています。

「慎」や「鎮」なども同様です。


元モーニング娘の後藤真希さんは、実母の自殺、弟さんの不祥事の後に自身の不倫スキャンダルで世間を騒がせました。

同じグループで活動していた矢口真里さんは、タレントである夫の留守中に交際男性を家に引き入れて不倫が発覚。離婚しました。

フィギュアスケーターの浅田真央さんは、最大の理解者だった母親を48才という若さで失くし、さらにその後、父親が交際女性への暴力で逮捕。姉の浅田舞さんの奔放な異性関係は今もスキャンダルとして話題となっています。

女優の石原真理子さんはこれまでの恋愛スキャンダルや、度々の行動や言動が理解に苦しむと周囲から言われています。

歌手で女優の石野真子さんは、彼女が離婚した男性が、最近はユーチューブで元女優から性暴力で告発されています。その後、再婚しましたが再度離婚しています。

野球の桑田真澄さんは父親が焼死。息子はタレントのマットさん。

女優の水野真紀さんは徳島県知事の夫が不倫問題でマスコミを騒がせました。

歌手の天地真理さんは、アイドルとして一世風靡の絶頂期の後に、浪費癖が直らずお金を使い果たし、高齢者向け住宅に入居と報じられています。

スポーツ界では、ジャイアンツの阿部慎之助さんが過去にとんでもない不倫スキャンダルを報じられています。

サッカーの前園真聖さんは、タクシー運転手に殴る蹴るの暴行で逮捕歴。

元国会議員の豊田真由子さんは、秘書への「違うだろーっ!」「このハゲー!」発言で自民党を離党、その後の選挙で落選。

歌手の「青い三角定規」の高田真理さんは自殺。

日本テレビアナウンサーの山本真純さんは転落死。自殺と言われています。

歌手の近藤真彦さんは、交際していた歌手の中森明菜さんとの金屏風会見バッシングが今も続いています。その後不倫発覚、ジャニーズ退所などと続きます。また、母親の遺骨が墓から持ち去られています。

女優の大空眞弓さんは離婚後に9回のガンを患っています。

人気プロレスラーの橋本真也さんは、40歳で脳幹出血で死亡。

元プロボクサーの竹原慎二さんは、膀胱がんで闘病し医療過誤の問題を提起しています。

俳優の山下真司さんは長男が自殺。

俳優の荻島真一さんは、まだこれからの58才で病死。

俳優の江原真二郎さんは、長男が俳優として人気上昇中に高速道路でスポーツカーで激突死。自身もパーキンソン病を患い2022年死去。

俳優の真屋順子さんは、萩本欽一さんとのテレビ番組で大人気となるもその後、2000年に脳出血で倒れ、後遺症を発症。2010年に俳優の夫を亡くします。その後も病状は回復せず寝たきりに。2017年死去。

俳優の千葉真一さんは国際俳優として活躍。私生活では離婚、そして死後は遺骨、借金などのトラブルを報じられます。息子さんで俳優の新田真剣佑さんは、ユーチューバーに女性問題を暴露され、その後、千葉真一さんの相続、葬儀などでも雑誌にスキャンダラスに報道されました。

園芸家の柳生真吾さんは俳優の故・柳生博さんの長男としてテレビでも活躍中に47才でガンのため死去。

田中真紀子さんは故・田中角栄氏の長女として国会議員としても活躍。「小泉純一郎の母です」との演説で、郵政民営化を初めとして日本をぶっ壊したとも言われた小泉氏を首相にした立役者でもあり、その後は人気凋落。2012年総選挙落選。2024年には、通称目白御殿と呼ばれた田中邸から出火し全焼。

アナウンサーの羽鳥慎一さんは離婚後に再婚。そのいきさつがマスコミに数々取り上げられました。父親は70代で孤独死。

林眞須美死刑囚は、和歌山毒物カレー事件の犯人とされていますが、冤罪説もあり、再審請求も行われています。

女優の熊谷真美さんは数度の離婚を経験。

女優の小川真由美さんは、実の娘さんが数年前に、母親は宗教に洗脳されていると告発して大騒動となりました。

大学教授、元衆議院議員の栗本慎一郎さんは、メディアで活躍していた1999年に脳梗塞を発症。その後は長期にわたりリハビリを続けています。

他にも、女優の尾野真千子さん、真木よう子さん、大地真央さん、俳優の真木蔵人さん、シンガーソングライターの川本真琴さん、高橋真麻さん、須田慎一郎さん、野々村真さん、マイク真木さん、千住真理子さんなど、これまでに異性問題や暴力事件、問題発言や問題行動などを報じられた人がいます。

文字というのは、生命力、霊力を間違いなく持っています。

良い文字は良い生命力と良い霊力。悪い文字は悪い生命力と悪い霊力。

これを決してあなどってはいけません。

人間は生かされているのです。自分ひとりの力では生きられません。文字はそのことを身をもって私達に教えています。

2024年の夏の甲子園高校野球に「斎藤佑樹」が出場と話題になりました。強豪・仙台育英を破り出場を決めた聖和学園。その試合で力投したのが、あのハンカチ王子と同姓同名で画数も強運です。まさに「名は体を表す」です。

良い幸運象形文字を身につけ、良い文字の名前を持ってください。

この本の後半で説明する、注意すべき文字を知ってください。

また、さらに文字の成り立ちを詳しく知りたくなった方は、拙著『名前で人生は9割決まる』をお読みください。

名前に使われる文字の霊力

あ

安　やすんでいる。女性がすわっている。安静。やさしい。女性的暗示が強く、男性には不向き。肉親の縁に弱い暗示。

絢　あや。色をめぐらした模様。あやもよう。美しいもよう。色情のトラブルに注意。

亜　人の背中が曲がっている形。地下にもぐる。お墓の形。劣る。つぎの。二番目。健康に注意。

愛　立ち去ろうとして、後に心を引かれる姿。愛情で乱れる暗示。

い

衣　ころも。着る。きぬ。おおう。体をかくすもの。したがう。「葬」や霊的暗示もある。

唯　「はい、承知しました」（という返事）。ていねいな返事。ただし。ひとり。ひたすら。これだけ。実直な性格と紆余曲折の暗示。

育　子どもが逆さまの形。正常に生まれ出る形。生まれる。そだつ。産む。家庭、子どもに縁あり。

一　はじめ。ひとつ。すべて。吉凶両方の暗示をもつ。

壱　ひとつ。ひとえに。まことに。つぼのなかの酒がいっぱいになる。ひとつのことに集中すると成果。酒、薬に注意。

う

宇　のき（軒）。やね。ひさし。家。天下。大きなもの。大きなことに挑戦すると吉。

羽　はね。鳥のはね。虫のはね。つばさ。たすけ。人を助けたり、助けられたりの暗示。

え

永　川の流れ。水の分かれる様。わかれる。長い。長くつづけることで吉。別れの凶暗示。

英　美しく咲く花。実らない花。すぐれる。りっぱな。さかんな。女性につけると、子ども縁に波乱の暗示。

栄　火のかがやくさま。さかえる。ほまれ。さかんに。はえる。栄光に縁。尽きる暗示も。

映　美しく光り輝く。太陽がそそぐ。さかんな。うつす。吉凶の入れ替わりに注意。

悦　よろこぶ。たのしみ。よろこび。ぬける。別れる。散る。吉凶の両方の暗示。

円　まる。まるい。まどか。まとまる。みちる。囲む。女性の場合、色難の暗示。

延　のびる。ながい。とおい。つらねる。亡くなる。物事が凶へと動く暗示がある。

お

王　おう。きみ。すぐれている。大きい。斧の形。男性にとって吉暗示。

央　真ん中。なかば。中央。くびすじ。やむ。止まる。中心になって行うことに吉暗示。凶要素もはらむ。

桜　さくら。ゆすらうめ（梅桃）。小桃。血。芸事等に吉。事故の暗示。

音　おと。ね。口から出る音。こえ。吉凶の両方を暗示。

温　あたたかい。あたためる。熱をなかにこめる。蒸す。人に感動を与えられるような職業に吉作用。

か

加　くわえる。ふやす。たす。力を合わせて訴える。行動力に勝る要素。舌禍に注意。

可　よい。よろしい。ゆるす。きく。許す暗示。のどに障害の要素あり。

佳　よい。美しい。りっぱ。すぐれる。美の要素が強い暗示。

果　はたす。はて。はてる。死ぬ。ゆきつく。事故の暗示あり。

河　かわ。水の流れ。曲がった川。黄河。勢いと波乱を暗示。

花　はな。あや。はなやか。美しい。吉凶の両方の暗示あり。

夏　なつ。盛ん。人が面をつけて舞うさま。仮面。巫女。芸事に吉作用あり。吉凶の両方の暗示あり。

華　はな。はなやか。さかえる。くぼんで曲がっている。あでやかな反面、凶暗示あり。

歌　うたう。うた。声をのばして、口をあけ歌う。芸能に才あり。

我　われ。わがまま。武器。切りつける。スポーツなど、かぎられたものに吉作用。凶暗示強い。

芽　め。めぐむ。めざす。きざし。かみ合う。新しく始めることに吉作用。人間関係に配慮必要。

賀　よろこぶ。よろこび。銭。ふやす。金銭欲を強めると凶。

雅　みやび。上品。鳥。ただしい。芸術の才あり。人と協調すると吉。

介　たすける。よろい。守る。へだてる。わりこむ。人を助けて吉。周囲と和合しにくい暗示。

快　こころよい。はやい。病気の原因がとりのぞかれ気持ちがよい。交通、旅行関係に吉。

絵　えがく。合わせる。寄せあわす。刺繍。吉凶両方の暗示あり。

開　ひらく。あく。あける。ひらける。門をあけるさま。人間関係に注意。

楓　かえで。ふう。木の名。ゆれ動いて飛ぶ。不安定暗示も。芸術関係は吉。

覚　おぼえる。あきらか。「学」の字のもととなる文字。神仏関係に吉作用。

学　まなぶ。ならう。まなびや。学問をする人。親の意思を強く受けやすい。

且　かつ。重なるさま。いっとき。住まい、職が変わる暗示。

完　おわる。完全。まっとうする。協調性が重要となる暗示。

寛　ひろい。ゆたか。ゆるやか。ゆるす。節度が重要となる暗示。

幹　みき。もと。ただす。中心となるもの。運動能力にすぐれる暗示。

き

き・キ　いくつ。いくばく。もうすこしで。ちかい。刃物が身体に届く暗示。突然、トラブルに見舞われる暗示。

気　食べ物を贈る。活力。精神。気力。食べ物に困らない暗示あり。

岐　えだみち。ふたまた。迷いが多くなる暗示。

紀　いとぐち。はじめ。もと。きまり。すじみち。心にゆとりを持って生きると吉。

貴　すぐれた。大切にする。とうとい。価値あるもの。人間関係を重視する世界で成功する暗示。

希　まれ。ねがう。こいねがう。継続性のあることがらにたずさわると吉。

季　四季の区分。わかい。小さく、おさない。新しい要素の強いものに吉作用。

起　おこす。おきる。たつ。たてる。行動力が強い暗示。協調性に注意。

記　おぼえる。かきしるす。事務・経理・調査などの仕事は吉。

基　もと。もとづく。もとい。土台。修業や訓練の要素に吉作用。

規　ぶんまわし。きまり。ただす。計画性が必要なものに強みを発揮。

喜　よろこぶ。よろこび。食べ物や音楽をよろこぶさま。芸術の才にすぐれる暗示。

輝　てる。かがやく。かがやき。りっぱな。ひとりよりも複数でおこなうものに吉。

葵　あおい。野菜の名前。ひまわり。周囲と和合を心がけて吉。

騎　馬に乗った人。のる。またがる。戦うことにかかわる、不安定な暗示。

義　いけにえ。ただしい。よい。神前でおこなう舞。美意識にたいする感性が強い暗示。

吉　よい。きち。めでたい。満たされた器。吉の暗示が強いが、トラブルの暗示もある。

九　集める。数が多い。つまる。つかえる。まがる。吉凶両方の暗示あり。

久　いつまでも変わらない。家庭内トラブルの暗示あり。死体を後ろから木で支える形。

弓　ゆみ。弓の形をあらわしたもの。個性が強い暗示あり。強弱のバランスが大切。
挙　あがる。あげる。ささげる。高くもちあげる。くわだて。他の協力を得られる暗示。
杏　あんず。果樹の実。周囲と和合する暗示があるも、「子」の文字との組み合わせは凶。
京　みやこ。大きくて高い。家や門の形。不吉な暗示もある。
享　きょう。受ける。もてなす。供え物を神にまつる。周囲と和合する暗示あり。
恭　うやうやしい。かしこまる。つつしむ。神仏に縁あり。
強　つよい。つよめる。つよい虫をあらわしている。周囲と和合しにくい暗示あり。
教　おしえる。おそわる。子どもに対して、おしえる。習わせる。押しの強さを控えると吉。
暁　あかつき。あきらか。さとる。夜明け。はっきりとわかる。吉凶両方の暗示あり。
勤　つとめる。はたらく。力を出す。苦しむ。疲れる。事故や金銭トラブルに注意。
琴　こと。楽しむ。楽器の形。こもる。とざす。内にこもる暗示があり凶。芸術の才あり。
銀　ぎん。しろがね。貨幣。ケガに注意が必要な暗示。

く

君　きみ。りっぱな人。王。神殿につかえたり人々をとりもつ人。女性には凶暗示。

け

恵　めぐむ。めぐみ。あたえる。気を配る。いつくしむ。財。愛情面で強い吉作用あり。
啓　ひらく。申す。みちびく。小枝で打つ。無理やりに開く暗示。強情な性格の暗示。
敬　うやまう。つつしむ。かしこまって礼をしているさま。威圧的態度を控えることで吉。
景　ひかり。かげ。ひかげ。太陽の光の暗示。吉作用が強いが反転する暗示もあり。
慶　よろこぶ。よろこび。めでたい。吉凶両方の暗示。色情、事故に注意。
結　むすぶ。むすび。ひもを結び、閉じこめる。協調性を強くもたないと波乱。
潔　きよい。いさぎよい。きよめる。みそぎ。周囲との和合を欠き、事件にかかわる暗示も。
見　みる。みえる。あらわれる。目の前にあらわれる。芸能など目立つこと、人目につくことに吉作用。
建　たてる。たつ。筆をまっすぐ立てたさま。計画性があるものに対して吉作用。
研　みがく。とぐ。けずる。きわめる。学問や技芸の分野で才覚を発揮。
兼　かねる。あわせる。あわせもつ。多角的、多方面にかかわる要素と、共同性の要素に吉作用。

健　すこやか。たくましい。つよい。力が強い。肉体を使うことに対し吉作用。周囲との和合が重要。
堅　かたい。かたい土。しっかりとしている。吉凶の両方の暗示。事故と目の病に注意。
賢　勝る。かしこい。財に縁のあるもの。金銭に強い執着をもちすぎると凶。目の病に注意。
憲　きまり。おきて。おしえ。押さえこむさま。不自由さとトラブルの暗示。
謙　へりくだる。避ける。あまんじる。相手にゆずることで吉。
元　あたま（かしら）。はじめ。最初の。よい。先頭に立って新分野に関わると吉。
現　あらわれる。あらわす。周囲の状況が把握できる暗示。

こ

己　おのれ。つちのと。土の暗示。自己啓発要素のあるものに向く。
湖　みずうみ。湖水。あごに垂れている肉や皮。病気暗示に注意。
五　いつ。いつつ。いつたび。交差する暗示。異性に注意。吉暗示強い。
悟　さとる。さとり。さとす。はっきりとわかる。中年以降、吉暗示。
光　ひかり。あかるい。かがやく。「切る」「燃え尽きる」暗示あり。

功　成しとげた仕事。てがら。突然変化の暗示あり。

広　ひろい。ひろがる。ひろめる。はてしない。心が広い暗示。火に縁あり。

巧　たくみ。わざ。てだて。とらえどころのない暗示も。

江　川。大きな川。いりえ。血液にかんする暗示あり。

孝　老人の姿。親につかえる心。健康に配慮が必要。

行　いく。旅。おこなう。動く暗示。協調を心がけて吉。神仏に縁あり。

幸　手かせ（刑具）。さいわい。しあわせ。対人関係に注意が必要。

厚　あつい。あつみ。さまざまな険しさ。ていねい。情をあらわすと吉暗示。

恒　かわらない。動くことのない心。吉凶の両方の暗示。

紅　べに。くれない。あか。きぬ。美や、飾ることへの吉凶の両方の暗示あり。

香　かおる。かおり。かんばしい。楽しむ。周囲の影響を受けやすい暗示も。

耕　たがやす。田畑にかかわる暗示。周囲に和合する暗示あり。

航　わたる。ふね。舟がならんでいるさま。健康面に吉暗示あり。

高　たかい。たかさ。すぐれる。周囲との和合を強めて吉。

康　やすらか。じょうぶ。すこやか。無事。食にかんし、吉暗示。周囲への配慮の暗示も。

煌　かがやく。あきらか。光が大きくなる。広がる。火に関するものとかかわる暗示。

興　おこす。おもしろみ。はじめる。はじまる。酒に注意。

剛　勇猛。かたい。つよい。じょうぶ。協調性に注意。事故の暗示も。

豪　つよい。すぐれる。やまあらし。毛深い。協調性、柔軟性を強めて吉。

さ

サ　ちる。ばらばらになる。一度築いた縁が壊れやすい暗示あり。

彩　いろどる。いろどり。すがた。ようす。木の芽や実を手でとる。器用な暗示。かざる要素強。

菜　摘み菜。やさい。つみとるさま。食の暗示強く、つちかう要素のあるものに吉作用。異性運注意。

作　さかん。たくらみ。いつわり。にせもの。吉凶の作用が共に激しい。

咲　わらう。花が開く。ふくみのあるさま。早咲きの暗示。

颯　早い動き。風の吹くさま。やせる。弱る。吉凶の両方の暗示。

し

士　「男根」をあらわした文字。おとこ。さむらい。法名に使われる文字で、凶暗示あり。

子　こども。十二支の「ね」。小さいもの。男の子。わかもの。男性的な強さの暗示。

司　つかさどる。役所。役人。肛門にかんする暗示。

史　ふみ。記録。書き物。読む。仕事をする。先見性をもって成し遂げる暗示。

矢　矢。まっすぐ。正しい。武器。ひとつのことを貫くと吉。多角的要素をもつと凶。

志　こころざす。しるし。ひとつの方向を目指す暗示。波乱の暗示も。脚の病に注意。

枝　えだ。もとから分かれたもの。家庭波乱、手足の病の暗示も。

詞　ことば。ことばをつらねる。子どもに縁のある暗示。

資　もと。うまれつき。たから。もとで。資質を生かし、才能を伸ばす吉作用あり。

嗣　つぐ。あとつぎ。つかさどる。家業に対して吉暗示。

詩　うた。詩。気持ちをそのまま言葉に出す。芸能の才を暗示。

次　やすむ。つぎの。二番目。つづく。やどる。愛する人と離別する暗示あり。

児　小さい子ども。頭の骨が固まっていない様。病気の暗示あり。

治　おさめる。なおる。河・川の暗示。自然を生かした仕事に吉。

七　ななつ。物を切って分けた暗示。家庭運に凶暗示あり。

実　みのる。まこと。みたす。金銭に縁のある暗示。金銭に対する執着に注意。

守　まもる。まもる人。失わない。支配する。囲いこむ。吉凶の両方の暗示。

朱　あか。しゅ。切り株。木の中心部。切り離す。断ち切る暗示あり。

寿　ことぶき。長生き。ひさしい。老人、長寿の暗示だが、曲がりくねる要素も。

珠　たま。真珠。光りかがやく暗示。芸術関連に吉作用あり。

樹　木。立つ。木をうえる。物事をはじめる暗示。人間関係に吉。

秀　目立ってすぐれる。ひいでる。みのる。病。協調性に注意すれば吉。

宗　しゅう。本家。みたまや。神仏に強い縁あり。事件暗示あり。

修　おさめる。人の背中に水をかけるさま。みそぎ。とくに凶文字との組み合わせに注意。

秋　あき。火を使ってかわかす。とり入れるさま。傷害注意。離婚暗示。

就　つく。とりかかる。成る。完成。高い丘の暗示。事故に注意。

充　肥える。成長する。あてがう。肉体的成長や、才能を磨く面で吉暗示あり。

春　さかんな。芽吹く。外に出る。上昇運が強い吉暗示あるも、色情におぼれやすい。

俊　かしこい。すぐれる。足がはやい。吉暗示あるも、とくに凶文字との組み合わせに注意。

瞬　またたく。目をまばたきするさま。一瞬の短い時間。目の病に注意。吉凶の波乱激しい。

旬　じゅん（10日、10か月、10年）。しゅん。日が一巡、ひと巡りするさま。吉暗示も、持続性が重要。

准　じゅんずる。そろえる。なぞる。平らの暗示あり。協調性をもって吉。

純　まじりけのない。布のへり。とどまる暗示。とくに凶文字との組み合わせに注意。

順　したがう。順序。川の流れのように従う。周囲との和合を心がけて吉。

準　たいら。水平。みずもり。なぞらえる。下半身の病に注意。

潤　うるおう。うるむ。水でうるおう。しみこむ。ふくらむ暗示。子どもに縁あり。

隼　はやぶさ。はやい鳥。すばやい。事故暗示あり。協調性が重要。

匠　美しいものをつくる技。新しいものをつくりだすアイデア。木を細工する。技芸や動物に縁あり。

昭　あきらか。照らす。呼びよせる。明るい日の光ですみまで照らす。「召」は酒をあらわし、酒と人間の上下関係に注意。

笑　えむ。わらう。ほほえむ。むりやりに笑うような暗示。噺家等には吉だが、一般には凶。

祥　さいわい。めでたい。きざし。供物。吉凶の入れ替わりが激しい暗示。

勝　相手に勝つ。上に立つ。もちこたえる。まさる。後半凶。女性にとっては凶暗示強い。

晶　ひかり。星が三つ輝いているさま。安定感を求めていくことがとくに大切。

翔　かける。とぶ。鳥がとびたつ形。ひじに縁あり。肉体にかんする暗示。周囲との和合が重要。事件に注意。

照　ひかる。てる。かがやき。光がすみずみまで照らしているさま。火の暗示が強すぎ、事故の要因。

丈　じょう。たけ。長い。手尺で長さを測るさま。杖の暗示あり。強い、たくましい要素も。

織　布を織る。組み立てる。布や衣服の暗示。目立つ。目立ちたい要素。

伸　のびる。のばす。まっすぐ体をのばす。無理をする暗示。

信　人が神に誓いを立てる様子。まこと。法名に使われる文字。組み合わせる文字によっては、凶作用あり。

津　船着場。岸。みなと。唾。涙。血がにじむ。事件・事故に要注意。

真　ひっくりかえった人。死んで首を逆さにかけられたさま。首から上の障害の暗示。

晋　太陽と矢。上昇と前進。不慮の災い。非難の集中砲火にさらされる暗示あり。

進　すすむ。すすめる。勢いよく前に出る。勢いが強すぎ、退くことを忘れると凶作用。

紳　太いおび。稲妻をあらわした文字。激しい伸びや動き。さげすむ暗示。

新　あたらしい。切っているところ。よく切れるおの。刃物。鋭さは、相手と自分の両方に及ぶ暗示あり。

人　ひと。立っている人間を横から見た象形文字。女性問題に注意。

仁　おもいやり。同情の心。果物のたね。背・手・足の病に注意。

す

数　かず。かぞえ。わずらわしい。せわしい。他人を責めつづける暗示あり。

昴　すばる。星。押して開ける暗示。新しいことを始めるのに吉作用。

せ

正　ただしい。支配する。ただす。まっすぐに進んでいくさま。色情の要因あり。

世　世の中。流れる。三十年。世継ぎ。女性には凶暗示。

清　きよい。すむ。きよらか。すずしい。つめたい。身体を冷やす。吉凶の入れ替わりが激しい。

晴　はれる。はらす。澄みきった空のようす。波乱に注意。

誠　まこと。うそ、いつわりのない心。整う暗示あり。

聖　ひじり。すぐれた人。耳でよく聞きとる。神仏の暗示あり。驕りに注意。協調性が大切。

静　しずか。しずめる。おちついている。安静。あらそう暗示。取り合いに注意。

夕　ゆうべ。月、三日月が光るさま。吉暗示が強いが、凶に変わる暗示もあり。

千　数字の千。数の多いこと。人。進む。金銭の災いに注意。

仙　不死の人。天才。長生き。世俗を離れた人。天才的な才能あるが、肉親に凶暗示が。

泉　いずみ。わきみず。穴から出るさま。流れ出す。穴を開け噴き出させる。病の暗示もあり。

そ

壮　さかん。元気でいさましい。成人男子。伸びる。大きくなる暗示あり。

爽　さわやか。あきらか。割り切る。別れる。きず。事故の暗示。

操　みさお。あやつる。とる。たぐり寄せる。不安定。手先をつかうことにかかわる暗示。

た

大　おおきい。さかん。すぐれている。体を使う職業で吉作用あり。
太　おおもと。ふとい。ゆたか。太陽。吉暗示強いが、事故や病気に注意。
代　かわる。かわりのもの。人が入れかわる。変化や交代など不安定な暗示。芸能関係に吉暗示。
拓　ひらく。ひろげる。とりあげる。割る。新しい物、受け継ぐ物に吉作用。
卓　たかい。台。とびぬけている。脚。トラブルの暗示あり。
達　通る。通す。通達。つかえずに通る。いきつく。安産。自分を貫くことで圧力も多い暗示。
男　おとこ。雄。力を出す。田と力で耕作のさま。養子の暗示あり。

ち

知　しる。さとい。しらせる。あてる。いいあてる。次々と言葉が出る。神仏にかんする暗示あり。
稚　おさない。若い。成長がおそい。大人になりきれない暗示。
宙　そら。屋根。空中。天。中身が抜ける暗示も。

忠　ちゅう。まごころ。まこと。ささげる。他につくす心。本心が出にくい。押さえる暗示。病気、事故に注意。

澄　すむ。すきとおる。きれいにする。すまし顔の暗示。誤解に注意。

直　なおし。なおる。まっすぐ。ただす。ただちに。女性は強情な性格の暗示。男性は色情に注意。

つ

通　とおる。とおす。つきぬける。かよう。道を通る暗示。協調が大切。

て

哲　あきらか。さとい。かしこい。断ち切る。白黒つける。迷いを捨てることで吉運強まる。

徹　とおる。つらぬく。とりさる。抜け出る。個性を主張することで吉。

典　のり。きまり。書物。原則。法名に使われる文字で、後半失速の暗示あり。

展　ひろげる。ひらく。すすむ。みる。人の上に立つ手腕があるが、事件・事故の暗示も。

と

と・ト　勢いが止まる。停止する。凶暗示が強い。

斗　ひしゃく。たたかう。立つ。酒に注意。
努　つとめる。いかり。奴隷的な。たいへんな。病気に注意。
透　すく。とおる。ぬきんでる。すける。協調と安定を強めると吉になる。
桃　もも。鬼をはらう暗示。子どもをもつことによって吉暗示。
登　のぼる。始める。みのる。上位につく。女性には凶暗示。
等　ひとしい。そろう。ととのえる。寺とかかわりをもつ。周囲と協調する暗示。
道　みち。まっすぐな一本道。首をもち進んでいくさま。みちびく要素のあるものが吉。
　女性には凶暗示。
徳　とく。めぐみ。正しい行い。女性は家庭縁に注意。
篤　あつい。人情のある人間。苦しむ馬の姿。周囲から好まれる暗示。

な

奈　赤ナシ。唐ナシ。果物の名。いかんせん。協調が重要。

に

忍　しのぶ。たえる。がまんする。しのばせる。傷。運動に秀でるも、家庭との縁がう
　すい暗示。

の

乃　すなわち。曲がったさま。重なる。病気、事故の暗示あり。

は

馬　うま。家畜。戦う。気性のはげしさに注意。

博　ひろい。大きい。ひろめる。ばくちの暗示。土に親しむと吉。

帆　ほ。みちびく。ほかけ舟の布。すすむ暗示。

範　手本。わく。おはらい。火の暗示。トラブル暗示注意。

繁　しげる。さかん。ふえ、ひろがる。散財、道楽に注意。

万　あたま。すべて。ひじょうに。猛毒のさそり。トラブル・健康に注意。

ひ

妃　きさき。つれあい。天子の妻。背中の病に注意。

飛　とぶ。とばす。鳥が飛んでいる。とびたつさま。動く暗示を生かすことで吉。

美　うつくしい。よい。大きな。ふとった羊。形よく肥えた、美しさ、なまめかしさをあらわしている。美・肥満を意識しすぎる暗示。

百　数字の百。数の多い。すべて。たくさん。大切な。中心の暗示。

苗　なえ。たね。草と田。血すじ。子孫。伸び悩む暗示も。

敏　さとい。速い。神経がこまかい。動く暗示と飾る暗示が強い。

ふ

夫　おとこ。おっと。かんざしをつけている男の形。華やかな暗示あり。

武　たけだけしい。つよい。いさましい。戦う暗示強い。進みつづける暗示。

舞　まう。まい。ひるがえして舞う。ふるいたたせる。波乱の暗示あり。

文　あや。もよう。かざり。あざやか。ふみ(文字・手紙)。いれずみ。表現分野の仕事が吉。

へ

勉　つとめる。はげます。はげむ。りきむ。分娩の暗示も。強引さに注意。

ほ

歩　あるく。あゆむ。進んでいく。金銭暗示。安定的なことに吉暗示。

保　たもつ。まもる。子どもを背負う。からだを包む要素。子どもにかんする暗示強い。

穂　ほ。穀物の先に実をつけたさま。妊婦の暗示あり。

法　決まったやり方。おきて。したがう。獣を閉じ込めた様子。自由を求めすぎると凶作用が強くなる。

萌　もえる。めばえ。きざす。まえぶれ。押し出す。強情を抑えて吉。

芳　かんばしい。かおり。におい。広がる。切る暗示もあり。

豊　ゆたか。多い。みのる。食べ物が食器にいっぱいのさま。はじける、あるいはこぼれ落ちる暗示も。

望　のぞみ。のぞむ。月。人が背伸びして立っている形。遠くを見る。欲望が強すぎると凶暗示。

ま

麻　あさ。屋根。植物の名前。反物。まっすぐ伸びる。「衣」の文字との組み合わせは凶。

磨　みがく。はぎとる。こする。すりへる。和合を心がけて吉。

み

未　ひつじ。いまだ。木の枝や葉が茂るさま。伸びる要素あり。「これから」の暗示あり。

魅　ばけもの。もののけ。人間をまどわす怪物。凶文字なので注意。

妙　みょう。美しい。不思議。削る。法名に使われる文字なので注意。

民　支配され、目を刺され、目を見えなくさせられている人の姿。もしくは、草木の芽が出ている様子。障害に見舞われる暗示あり。

む

夢　ゆめ。はっきり見えない状況。夜中のやみ。本来の意味（闇）に注意。人名には凶。

め

め・メ　女。おんな。女性には吉作用あるが、男性には凶作用。

名　人間の名前。自分の名を声に出していう。周囲との和合、協調が重要。

明　あかるい。あける。見える。あきらか。月光。先見性をもつ暗示。

も

も・モ　毛。絡む。芸術・美容分野の仕事に吉作用。異性トラブルの暗示。

茂　しげる。さかん。すぐれる。葉がおいしげる。身動きのとれない暗示も。

目　め。めぐむ。めざす。きざし。かみあう。新しくはじめるものに対して吉。人間関係に配慮必要。

ゆ

友　手を取り合って助け合う。絆。友人。むれる。周囲との和合を心がけて吉。

由　いわれ。もとづく。酒が出てくる、たれるさま。かご（籠）。周囲との和合を心がけて吉。

邑　くに。ゆう。むら。ふさぎこむ。抑えつけられる暗示。

佑　神が助ける。周囲の支援・協力で成功をつかむ暗示。

有　ある。たもつ。手に肉をもってすすめる。供えるさま。かかえる。強い性格の暗示も。

勇　いさましい。いさむ。力が出るさま。つらぬく。押し通す。女性には凶暗示。

悠　はるか。うれえる。人の背中に水をかけているさま。病気に注意。

裕　ゆたか。あまっている。ゆたかなさま。中身があいている。財運と遊興の暗示。

雄　おす。さかん。雄の鳥。美しい。すぐれる。ひじを使うことに縁あり。

優　やさしい。すぐれる。まさる。うつくしい。喪に服す心。家庭運・健康運に影あり。

よ

誉　ほまれ。たたえる。ほめる。みんなでもちあげる。名声。ほめられて自分を見失う暗示。

洋　うみ。大海。大川。あふれる。ひろい。さかんな。散財に注意。

陽　太陽。ひなた。あたたかい。男性の生殖器。女性の場合、家庭との縁が薄い。

遥　はるか。ゆっくり。細く長い道のり。とおい。さまよう。吉凶両方の暗示。

翼　つばさ。はね。たすける。運動能力にすぐれる。不安定暗示。

ら

来　くる。むぎの形。きたる。周囲との和合を心がけて吉。

り

里　さと。むらざと。田畑。あぜ道。整理。調整、養子、安定、田舎といった暗示あり。

利　きく。するどい。すばやい。益。切る暗示あり。周囲との和合が重要。暗転暗示もあり。

理　おさめる。みがく。すじみち。きまり。修復、修正の暗示を活かして吉。

力　ちから。はたらき。努める。体を動かすことで吉暗示。

陸　おか。あがる。小高い台地。連なる。周囲との和合を心がけて吉。

良　よい。すぐれる。りっぱ。まこと。分別。女性には凶暗示。協調が重要。

陵　みささぎ。りょう。土をもり高くなった丘。墓。事故の暗示あり。

稜　かど。りょう。きわだつ。すじ。周囲との和合に注意。

綾　りょう。あや。あやぎぬ。混乱。もよう。かざり。頑固の暗示。女性には凶暗示。

涼　すずしい。すがすがしい。多角的な才能に恵まれる吉暗示。事故・病気に注意。

遼　はるか遠い。距離や時間のへだたり。遠くまで歩く。性急な結果を求めると、凶作用が強まる。

鈴　すず。りん。鐘。大きな音。声を出す。ひびく。吉凶が入れかわる暗示。

凜　りん。つめたい。氷の暗示。はっきり、毅然としている。吉凶両方の暗示あり。

る

ル　ながれる。移りゆく。成り立たない。さまよい歩く。凶暗示あり。

れ

麗　うるわしい。きれい。シカの角が二つ並んださま。争いの暗示あり。

烈　はげしい。めざましい。火が燃えている。裂ける。焼く暗示、事故の暗示あり。

連　耳を糸で貫いた形。ひきつれる。かかわりあう。組織内での単独行動は凶。

蓮　植物のはす。法名に使われるので要注意。周囲と和合する暗示あり。

ろ

ろ・ロ　つらなる。背骨。人と人、仕事がつながる暗示あり。芸事などには吉作用。

郎　おとこ。若い男子。清らか。不安定な暗示あり。

朗　ほがらか。あきらか。清らか。月の光。声を使うことに吉作用。

わ

和　やわらぐ。なごむ。いっしょになる。とけ、まざる。和合を心がけて吉。強情は凶。

コラム

「お金持ち」の共通点

私はこれまで、たくさんの大金持ちと言われる人達に出会ってきました。

また、出会ってから何年か後に大変な大金持ちになった人もいます。

その人達には、ある共通点があるのです。

それは、ほとんどの人が人に対して素直であり正直なこと。

さらに、威圧感がなく人に好かれやすいタイプだということです。

もう何年も前にテレビ番組でご一緒した女優の斎藤慶子さん。

今現在の彼女は、ショップジャパン創業者と結婚して芸能界では指折りの大金持ちとなっていますが、当時は結婚する前でした。

番組が終わるとすぐに私の所へやってきて、「先生、私はこのまま芸能界にいても大丈夫なんでしょうか？　本当に女優に向いていますか？」

素直な気持ちでそう聞いてくる彼女に、私は「女優さんに向いていますから絶対に続けるべきです。家庭や愛情に波乱はありますが大金運がありますよ」

と答えました。

斎藤さんは「え、本当ですか？　嬉しいです。頑張ります」と明るく答えてくれました。

それからの彼女は、一度の離婚を経験した後、超セレブで幸せな再婚をしています。

芸能界で活躍している女優さんは、人一倍気が強く男勝りな女性が多く、斎藤さんのように素直な心で質問してくる女性はあまりいません。

まして、芸能界に自分が向いていないなんて

思ってもいない人が多いのです。

　斎藤さんのように、本音で語り素直な感性が周りからも好かれ、何とか手助けをしてあげたいと思わせるのです。


　私がある時、有名女優のCさんに、「あなたはあまり芸能界には向いていません。現在の結婚も離婚に向かうことになるでしょう」と進言したことがあるのですが、その時Cさんは突然怒りだしヒステリックになりました。そして番組で使う名前を書いたフリップを放り出したのです。スタッフも大慌てでした。

　Cさんは現在、めっきり仕事が少なくなり、私生活では離婚し独身を通しています。そして大病を患っているようです。

　Cさんのような性格の女優さんは決して珍しくはありません。


　プロ野球チームの買収や、ラジオ局買収などの話題で世間をあっと言わせた元・ライブドア社長の堀江貴文さん。彼はその後、買収に失敗。さらには粉飾決算や服役など、まさに天国から地獄への苦しみを味わいました。

　一方、楽天の三木谷浩史社長は、その間に球団を買収し、その後、楽天イーグルスと命名。平成23年に球団は日本一となりました。

　財界の大物が彼ら二人を見て私にこう言いました。

「堀江さんと三木谷さんの違いは、人にうまく馴染みやすいかどうかの違いだけ。堀江さんが悪いことをやったなんて思っていない人の方が多いですよ。結局、出過ぎた杭は引き抜かれてしまうんです」

「出た杭は打たれるけど、出過ぎた杭は引き抜かれる」

　彼の言った言葉は、大金持ちになるための名言ではないでしょうか。

　時には、人の懐の中に入り込むような素直さと出過ぎない態度。

　これが私の見てきた大金持ちに共通しているところです。

第三部

あなたの「名前」で運勢を知ろう

運勢を知ることがすべての幸運への始まり

私が姓名学を研究してきて思うのは、**お金を得るためには、あなた自身の「持って生まれた運勢」を知ることがまず大切だ**ということです。

そして、人間関係の上で家族や友人、恋人、上司や部下といった周囲の人達の運勢もわかれば、生きていく上でより強力な武器となります。

例えば、運のない人にお金を借りたり貸したりは、後になってトラブルの原因となりますし、結婚する相手の運勢は将来の財運とは切っても切り離せません。家族同士でも相性の良し悪しはとても大切です。

もちろん、あなた自身がどんな役割を持ってこの世に生まれてきたのか、どんな人生の未来図を持っているのかを自分の名前から知っておくことも重要です。

そこで、私の研究した姓名判断の簡単な早わかり版を特別に掲載しました。もっと良い金運を得るために、あなた自身や周囲の人達の運勢を調べてみてください。

あなたがいくらお金持ちになったとしても、付き合う相手が悪かったら何にもなりません。事実、日本でも2005年に、宝くじで2億円に当選した女性が知り合いの男にそのお金が元で殺害されるという事件も起きています。お金があなたの人生を左右しかねません。私が実際に相談を受ける内容も、ここ数年、愛情、健康、仕事といった内容に加えて、金運に関しての相談が確実に増えています。

私がこれまでに会った芸能界の人の中でダントツのオーラを放っていたのが明石家さんまさんです。さんまさんの名前は総運32画、金運も仕事運もパワーは圧倒的です。彼は、テレビに映らないところでも裏表無く周囲に人一倍の気遣いをしています。むしろ、テレビに映らないところで、スタッフや出演者に思いやりをもって接しています。その心遣いに私も胸が熱くなりました。彼の周りにいるだけで金運の運気が集まるほどの強運を持った人です。

あなたも金運と幸せな未来のために参考にしてください。

姓名学は、姓と名前の画数から人の一生や金運、愛情運などを判断します。なかでも私の姓名学は、本場の中国と同じく、**画数の数え方は「正字（旧字体）」を用います。**

なぜなら、森羅万象に宿る命、霊力を文字として象形化したものが正字だからです。

したがって、〈広沢〉という姓の画数は〈広（5画）〉プラス〈沢（7画）〉の合計12画ではなく、〈廣（15画）〉プラス〈澤（17）〉の合計で32画となります。字画数を計算する場合は、巻末「漢字の画数一覧」で調べてください。良い画数を持っていると喜んでいたら、本当はその反対だったなどということのないようにしてください。

姓名学では、姓名判断を行う際、五運を用います。総運、天運、地運、内運、外運の5つです。今回は、なかでも一生の運勢に対して影響力の強い総運を載せています。総運の末尾の数字（11画、21画、31画……は「1」）がそのまま「系数」になります。

画数の出し方

田（5）中（4）将（11）大（3）　総運23画（3系数）

秋（9）元（4）康（11）　総運24画（4系数）

宇（6）多（6）田（5）ヒ（2）カ（2）ル（2）　総運23画（3系数）

明（8）石（5）家（10）さ（3）ん（2）ま（4）　総運32画（2系数）

【総運1系数】

地位、名誉を獲得できる幸運数。その道でトップになれる素質十分。決断力、行動力に恵まれている。異性関係のトラブルに要注意。

11画　順風満帆で、年齢を重ねるとともに繁栄します。たとえ失敗しても、それをバネに成長できるでしょう。ただし、ワンマンぶりを発揮する傾向が強く、我を通そうとするあまり、苦渋をなめる結果となることもあり得ます。女性なら結婚運、子宝運も吉。

21画　人のために献身的に尽くす責任感を備えています。中年以降(30代以降くらい)には、地位、名誉も獲得できます。金運にも恵まれ、独立したほうが財力を得られる暗示が。女性の場合、結婚よりもキャリア優先で仕事に生きる人が多いでしょう。

31画　逆境をハネ返し、着実に前進するパワーが備わっています。人間関係にも恵まれ、周囲のバックアップで大いに実力を発揮できるでしょう。女性にとっては最良の大吉数で、結婚と仕事の両立も可能な数意です。ただし、男女とも異性関係のトラブルという暗示が。

41画 健康、頭脳ともに恵まれ、持ち前の行動力がプラスされて、どの道でもトップになり得る大吉数です。独立を考えている人にとっては最高の数意といっていいでしょう。女性にとっても、恋愛、結婚、仕事と、すべてにおいて吉の暗示があります。

51画 穏やかさと実行力がうまく調和している数意です。時とともにあなたの努力が報われ、運勢が上昇していきますので焦りは禁物。チャンス到来までの我慢が必要になります。女性の場合、結婚運、仕事運とも吉。結婚後の改姓で51画になった人は子宝に恵まれます。

61画 特異な才能を生かして独特な境地を開拓し、発展へと導きます。ただ、個性が強すぎるため協調性に欠ける面があり、周囲からの反感を招き、孤立する恐れも。女性の場合は、地運とのバランスさえよければ、ずば抜けた結婚運があります。

【総運2系数】

ひとたび吉作用に恵まれると、一気に大成功も。幸運、不運が極端に分かれやすい。

病弱の暗示あり。

12画　才知に恵まれるものの、進む道を阻むような横ヤリが入ることが多く、困難に見舞われやすいでしょう。高望みや勝負はできるだけ避け、現状維持を心がけることが大切です。アドバイザー的な立場に徹することが幸運へのカギ。女性の場合は、晩婚になりがち。

22画　地味な世界よりも華やかで派手な世界に身を置くことで吉作用がアップし、あなたを成功へと導きます。ただし、「分裂」「分離」「混沌」という数意から自主性に乏しく、無気力な面も。女性は、結婚に至るまでにトラブルがありそうです。

32画　2系数の吉作用が特に強く働き、大飛躍を遂げる可能性大。チャンスをきちんとモノにして、一気に頂点へと登りつめるでしょう。ただし、色難、うぬぼれは禁物です。女性の場合、結婚となるとトラブルが多発することもあります。

42画　幸運、不運が極端に入れ替わりやすい画数です。チャンスに恵まれるものの、精神力の弱さから途中で挫折することも多々あります。病弱数でもあるので、健康にはくれぐれも注意を。男女ともに、異性に関するトラブルに巻き込まれやすい暗示を備えています。

52画　自分より他人を尊重しようと考えるタイプです。ただし、しばしば相手のトラブルに巻き込まれて、責任を取らされるような事態におちいることもあるでしょう。女性の場合結婚運が弱く、結婚後も中年以降に家庭運が低下するという暗示があります。

62画　目的達成の目前に、力不足で伸び悩みとなり、挫折することもしばしばです。力量以上の野望を抱くより、自分の力に見合った目標に向かって堅実に生きるのが一番。女性の場合は、人間関係でのトラブルが多く、結婚後も姑問題、夫の浮気などで悩まされることも。

【総運3系数】

積極的で行動力に富む。あっという間に成功する一代出世系数。手に入れた地位を維持することができる。「出る杭は打たれる」のたとえどおり敵をつくりやすい。

13画、53画、63画　総じて運気は安定しています。活動的で、とくに弁舌の素晴らしさが、この数意の魅力です。頭脳明晰、健康運も吉ですが、性格的に短気で気性が激しい面もあります。しかし、致命的に運命を狂わせてしまうほどのものではありません。女性の場合、熱しやすく冷めやすいという性格が強く、そのため婚期を逃しやすいこともあるので注意してください。

23画 強烈なエネルギーを備えており、一代で地位、財を築くこと、また一夜にしてスターになることが可能です。ただし、味方も多ければ敵も多いのが人間関係の複雑なところ。女性の場合、未婚、既婚を問わず、異性運は波乱が暗示されます。

33画 大きな野望を抱けば抱くほど、強力な運勢に後押しされるように、成功へ向かってひた走る大幸運数です。どんな職業でも頂点まで登りつめることが可能な「王」の数意。女性がこの数を持つと、晩婚もしくは人によっては一生独身の可能性もあります。

43画 成功と挫折が表裏一体であり、波乱を呼び込みやすい暗示があります。成功が大きければ大きいほどトラブルも大きなものとなりがちで、それは家族や周囲にまで波及することも。金運もいいとはいえず、女性の場合も平凡な家庭生活に縁が薄いでしょう。

【総運4系数】

金運や非凡な才能に恵まれる。平凡とは無縁の波乱の人生を送りがち。障害が多く、目的達成には困難がつきまとう。健康にも注意が必要。

4画、14画、64画　波乱を巻き起こす「分裂」の暗示がさまざまな局面にあらわれ、浮き沈みの激しい人生を送ることに。金運には恵まれますが、それ以上の浪費をしてしまうため、なかなか身につきません。強い虚栄心や主張を生かせる世界、たとえば芸能界などに飛び込んでいけば、栄光をつかむことも可能です。女性の場合、既婚、未婚を問わず、浮気、不倫、三角関係、家庭不和など異性間トラブルにおちいりやすくなります。

24画　最強の金運力に恵まれており、資産家にも多いのが、この総運の持ち主です。現状におぼれず、勤勉、実直、厳格に勤めれば、年齢とともに金運が上昇し、莫大な富を手にすることも可能。女性の場合は、最高の結婚運でもあります。

34画　凶数である4系数のパワーがもっとも強いのが、この34画です。不慮の事故、病気などの災難が多く、非凡な才能の持ち主といわれても、陽の目を見ることは少ないかもしれません。女性の場合、結婚をしても、その後さびしい家庭生活を送る暗示があります。

44画 吉、凶が紙一重で、極端に繰り返されるドラマチックな人生となりそうです。よほどの気力か才能の持ち主でなければ、この運命の荒波を乗り越えることはむずかしいでしょう。女性の場合も、その虚栄心から恋愛での失敗が多くなりがちです。

54画 勤勉で実直な性格から、何事にも努力を重ねますが、空回りが多く、その努力がなかなか報われません。うまくいきそうな場合でも、意外な落とし穴に落ちたり、裏目に出がちです。女性の場合、とくに恋愛での挫折が人生を変えることも多々あります。

【総運5系数】

逆境をバネにして、さらなる幸運を手にする最強のツキを備えている系数。辛抱に欠ける面も。

5画、15画、55画、65画　仕事運も金運も強烈な強さがあります。多才でマルチな人でも、一芸に秀でた人でも、ともに自分の才能を生かし、大成功を収められるでしょう。一カ所にとどまるよりも動くことでツキを呼ぶことが大きな特徴です。波乱も少ないので、新しい事業、新たなビジネス展開など、どんどん積極的に挑戦していくことが幸運をもたらすことにつながります。結婚運も最高で、とくに女性は家庭と仕事の両立もうまくこなせます。

25画　独自のアイデアと優れた思考力を持ち、個性豊かな人生を送れます。ただ、その強烈な個性から我が強く、誤解されるなど人間関係のトラブルに見舞われることも。女性の場合、男性に対する理想が高く、そのために男性遍歴を繰り返す傾向も見られます。大病注意。

35画　頭のキレがよく、弁舌も立つので、学問、文学、芸術、芸能分野で大いに力を発揮し、地位や名誉、財を築けます。ただし、決断力に乏しい面があるのが〝玉にキズ〟。女性は細かいことまでよく気づく良妻賢母ぶりを発揮し、温かい家庭生活を送れるでしょう。

45画　大きな野心を持てば持つほど、「5」のツキのパワーを発揮します。とくに、年齢を重ねれば重ねるほど幸運の女神に恵まれる、大器晩成型であるといえるでしょう。女性の場合、ズバ抜けた結婚運に恵まれています。結婚後も温かい家庭を築けるでしょう。

【総運6系数】

さほど努力しなくても成功へと導かれ周囲からの強力なバックアップで運勢を好転させていく。横暴になってしまうこともしばしば。異性や酒のトラブルには要注意。

6画、16画、56画、66画　同じスタートラインから始めても、誰よりも早く順調な出世を遂げられるでしょう。チャンスのほうから、どんどんあなたに寄ってきます。親分肌の性格からか人望も厚く、周囲の人々を束ねてさらなる躍進が期待できます。ただし、激しい気性のため人間関係でのトラブル、異性関係や酒でのもめごとにはくれぐれも注意を。女性は、我を張りすぎないようにすれば、結婚後には幸福な家庭に恵まれます。

26画　実力、才能を備えた運の持ち主です。しかし、運気が一定せず、波が激しいのも特徴で、自己過信も強く、そのため人生の落とし穴におちいることもありそうです。女性の場合、結婚運、家庭運はよいとはいえず、生涯孤独であることも少なくありません。

36画　作家、作曲家、画家などクリエイティブな感性を備えており、それを活かせれば上昇運気に乗ることも。多くの人望を得て、成功への足がかりがつくられます。女性は結婚し、相手に尽くしても、その行為が報われず、孤独に悩まされることにもなりかねません。

46画　6系数の持つパワーに乗って、順調に伸び続ける運勢です。ただし、中年以降にトラブルの落とし穴が待ち構えており、すべてを失ってしまうハメにおちいることもあり得ます。女性は、焦らずにじっくりと自分にふさわしい良縁を待つのが吉です。

【総運7系数】

華やかな世界で成功するケースが多い。財運、権力運ともに恵まれた系数。孤独や障害といった暗示も。総じて、ドラマチックな人生となる。

7画、17画、67画　強い信念を持ち、権力運も強力。平凡よりも変化に富んだ人生が似合いで、政界、芸能界などの華やかな場での成功率が高いでしょう。あまりにも強い信念のため、けっしてゆずらない面もあり、トラブルを招くことも。不慮の災難にも見舞われやすいようです。女性の場合、結婚に関するトラブルが多いのが特徴で、改姓後にこの画数になると、一家を支えるために仕事に生きるか、離婚という事態におちいることもありそうです。

27画、57画　名誉、権力に縁が深い数意です。その運命のパワーと豊かな才能、特異な個性で成功への道を開くことができます。しかし、強いパワーと同じくらいに、凶の反作用があるので要注意。女性の場合、結婚までの道が遠く、押しかけ女房になることも多そうです。

37画　独特な個性や才能の持ち主で、新しい分野を切り開いていくのに適したパワーを秘めています。独立したほうが非凡な才能を発揮できるでしょう。周囲との協調を心がけないと反発を買い凶の要素も。女性の場合、家庭運が薄く、仕事一筋の暗示が強いのが特徴です。

47画　決断力、実行力ともに優れています。多くの人の強力な支持を受け、運勢が開花した瞬間、またたく間に上昇を極め、地位、名誉、財産を築いていけるでしょう。女性の場合も家庭運は最高で、金運もよく、未婚女性は玉の輿に乗る可能性大です。

【総運8系数】

活発で俊敏力を持ち合わせており事業、健康運に恵まれる繁栄数。弱点は、妥協心の薄さと金銭欲。スポーツや〝笑ビジネス〟の世界で成功する。

8画、18画、58画、68画　旺盛な活動力とフットワークのよさが、名声と財を築く道へとつながります。素晴らしい突進力を持ち合わせており、カンで世の中を上手に渡り歩くこともできるのが特徴。ただし、組織の一員として働く場合は、協調性を持つことが大切です。成功するためには、個人で独立したほうがいいでしょう。女性の場合は、配偶者や家庭内のトラブルなどに悩まされる暗示があります。

28画　繁栄の暗示がありながら、それをなかなか活かしきれないのが欠点。成功をつかんでもそれは一時的なもので、次第に下降線をたどるという危うさが常につきまといます。女性は晩婚になりがちで、結婚しても家庭内のトラブルに悩まされることも。

38画　頭の回転が早く柔軟性に富んでいます。実業界よりも文化、芸術などで才能を発揮すれば、堅実な成功へとつながります。ただし、金銭欲がチラつくと運気を下げてしまう恐れが。女性の場合、結婚後の改姓でこの画数なら、平和な家庭を築けます。

48画　行動力に富み、自分が計画、発想したことをキチンと実現させることができるでしょう。多くの人望も得ますが、浮き沈みが激しく、中年以降に大きな試練の時を迎えそうです。女性の結婚運は良好で、改姓後にこの数を持つと、夫を立ててその能力を引き出します。

【総運９系数】

芸術や科学などの分野で大きな成功を収める。才能豊かで、優れた直感力を持つ。常に不安定で平凡とは程遠い人生となりがち。

9画、19画、59画、69画　9系数の「運気不安定」がひじょうに強く作用する画数です。せっかくいい感じで進んできても、途中で挫折したり、失敗してしまう可能性があります。感性の豊かさや天才的なパワーをうまく活かせる分野での成功も。職業の選び方ひとつで運勢が大きく変わるということを自覚しておくことが大切です。女性の場合、結婚後は家庭内の問題など苦労がついてまわりそうです。

29画　持って生まれた知的才能、幅広い活動力から大衆の人気を獲得し、どんな分野においても高い地位を得るという暗示があります。ただし、凶作用がゼロというわけではありません。女性の場合、恋愛での挫折、離婚など結婚運が薄いようです。

39画　吉作用が凶作用を圧倒するほどの強力な運勢。年齢とともに安定感を増し、いずれは人の上に立つことも可能です。ただ、周囲とトラブルを起こしやすいのが欠点。女性の場合、結婚となると、相手の画数によっては「波乱」の暗示が強く顔を出します。

49画　吉凶紙一重。幸・不幸が入れ替わりやすく、それが一生続くのが特徴です。凶の場合、自分だけでなく、家族や周囲の人たちも災難に巻き込むという形になってあらわれます。女性がこの数を持つと、結婚に至るまでの波乱が暗示されます。

【総運0系数】

姓名学が中国から生まれた時点で、0の概念は無く、後からインドの概念として入ってきたものです。

存在しない数の概念が0ですから、無から有、有から無という誕生・消滅の暗示を持っています。

幸運から突然の転落、成功から一気に大失敗というように、運命逆転のパワーに導かれるような人生を暗示しているのが、この「0」なのです。

しかも、それは本人だけにとどまらず、家族、友人といった周囲にまで及んでしまうくらい強力な作用を持っています。

10画、20画、30画、40画、50画、60画……末尾に0がつく画数の人達すべて、この総運0系数の場合は、同様の運命を背負っています。

地運（名前の部分）の0系数も同様です。

地運は、前述の画数の見方（162ページ）の姓名のうち、姓を除いた名前だけの画数です。

例えば、「田中将大」なら、名前の「将大」だけの画数の14画が地運で4系数です。

※地運の画数を出すとき、「1字名」の場合は、「霊画数」1画を加えて数えます。これが原則です。例えば、「浩」なら、11画＋霊画数1画で地運12画の2系数です。

まさに、急伸から急転落を、みごとに暗示している数字なのです。

破壊力が強いだけでなく、その反面、上昇運も強力ですから、人もうらやむような大成功を手にした人も少なくありません。

とはいえ、よほど優れた才能や感性、気力を持った人でなければ、この極端なくらいのパワーを秘めた運気を、うまく利用できないといっていいでしょう。

コラム

今「名付け」が熱い

2024年春の選抜高等学校野球大会で優勝した高崎健康福祉大学高崎高等学校。
驚かされた事がありました。

選手の名前です。

斎藤 銀乃助
佐々木 貫汰
髙山 裕次郎
佐藤 龍月
加茂 優太朗
川名 健太郎
坂田 一心
森山 竜之輔
髙須賀 天丸
田上 賢芯
鶴岡 太一朗

築山 新

高校野球選手の名前と知らなければ、歌舞伎役者や大衆演劇のスター役者の名前かと思ってしまう人達もいるはずです。

江戸時代にも流行っていた名前もあります。

実は、今の若い人たちにも、人気のレトロネーム、シワシワネーム、戦国武将ネームが名付けに増えています。

私への相談でも、赤ちゃんの名付けや、改名にこのような名前を望む人達も多くなっています。

戦国武将ネームで言えば、景虎、道三、信玄、謙信、政宗、幸村、元就、早雲、高虎、兼続、右近、長政、元春、などなど。

また、歌舞伎ネームや時代劇俳優などにも見られた名前が名付けにジワジワと増えています。

レトロネームには文字そのものに強い暗示を持っている漢字が多く見られます。

つまり、強力な個性を持つ名前ということです。

私は、選抜高等野球で高崎健大付属高校が出てきて選手の名前を見た途端、衝撃を受けました。

ここからまた、レトロネームが流行るのではないかと思ったほどです。

それほどインパクトがありました。

戦国武将が戦（いくさ）を勝ち抜くために名前を変えたケースは数多くあり、その都度、強烈な名前で相手を圧倒していました。

天下取りの家康や信長、秀吉はもとより、戦の圧倒的な強さゆえに軍神と呼ばれた上杉謙信は、数え切れないほど名前を変えています。

高校野球もまさに戦そのものです。一度負けたらそれで終わり。勝ち抜くしかありません。戦国なのです。

私が相談を受けた医療関係の男性は、子供には男として今のホストみたいに女性を食い物にするような生き方は決してしてほしくないんです。自分に自信と才能を身につけて世の中を切り開いてほしいんですと言いました。

付けて欲しい名前のリストには戦国武将ネームが、ずらりと並んでいました。

一方、若いママさんたちに人気なのは次のようなアイドル系ネームです。

紫耀
流星
勇太

蓮
風磨
大我
廉
北斗
侑李
駿佑
涼介
健人
海人
優太
優馬
裕翔
樹
海斗
涼太
優吾
大吾

このようなイメージのかっこいい名前にしたいと言うのです。

どちらにしても文字や画数の良いもの、悪いものはありますが、最初に呼び名ありきから、名付けに入ってしまうと、当て字的になりやすい傾向があります。

たとえば、「れん」という呼び名にしたいとなると、れんと言う漢字には限りがあります。それほど数が多くありません。

あとは「ひらがな」、「カタカナ」ということになります。

好きな呼び名を付けたい気持ちはわかりますが、やはり文字の意味の良いもの、そして何よりも画数が良くなるものを選んでください。

以前の本の中にも書きましたが、「翔」という文字。

「周囲との和合が重要で、事件に注意」

さらに、「大便の意味もあります」と書きました。

岸田首相の総理大臣秘書官をしていた長男の岸田翔太郎さんは〝忘年会〟の責任をとって辞職しました。

その後、野球界で大谷翔平選手というビッグスターが生まれ、ある読者の方から、これだけは当たってませんね。と言われました。

しかし、2024年に彼は信じられないようなとんでもない事件の主役となってしまいます。彼の通訳が起こしたといわれる賭博事件です。

彼のまったく知らないことなのか、知っていたのかなど、まだまだ今後も真相解明は長引くでしょう。

いずれにしても、この事件で彼の人生が大きな波乱に巻き込まれたのは事実です。

文字は生き物です。

霊力を持っています。

その霊力が良くも悪くも名前としてその文字を使っている人の運勢を左右するのです。

これは事実です。

私の長い研究の上から導き出した恐ろしいほどの事実なのです。

だからこそ、流行りにとらわれて名前をつけたり、カッコいいだけの名付けは危ないのです。

この本で名前の画数と、文字の意味を知ってもらい慎重に名前を付けたり、占ったりしてください。

インターネットで「なかやまうんすいホームページ」（本書巻末にQRコード掲載）を見ていただくと、名前の画数と文字から占った数々の予言を載せています。

名前から占った出来事がひと目でわかりますので、名付けの参考や改名の参考にしてください。

あなたの職業ナビゲーション

総運1系数

儒教の開祖であり、姓名学の祖でもある孔子は「1」の数意を「天地《てんち》開泰《かいたい》の大極《たいきょく》首領《しゅりょう》数《すう》」と指摘しているように、1は万物の根源であり、生まれ持って首領、つまりトップに立つ〝星〟の下にあります。先見力、活動力をフルに発揮すれば、どんな職種でも、みずからのうちに秘めている強力運が開花するにちがいありません。状況が厳しくなったときは、守りに徹することを心がけてください。これから、事業や商売を始めようと考えているなら、この1系数はおすすめです。

総運2系数

孔子の示した「2」の数意は「混沌《こんとん》未決《みけつ》の分離《ぶんり》破壊数《はかいすう》」。一つにまとまることがむずかしい分裂必至の数といいます。あれもこれもと手を広げすぎると、中途半端のままに終わる危険性が。ただし、華やかな業種については、この限りではありません。「華麗」「調和」「協同」などのキーワードを実現させ得る仕事につけば、業績をどんどん伸ばすことができます。とくに、ファッション業界、美容業界はうってつけです。

総運3系数

孔子は「3」を「進取如意《しんしゅにょい》の増進繁栄数《ぞうしんはんえいすう》」と解釈しました。つまり、3系数の人は進取の気質に富み、繁栄を確固たるものとすることができるわけです。よほど軌道をはずさないかぎり、すべてが順調に伸びていきます。服飾関係や、行動力、話術を売りものにする飲食業、技術を全面に押し出す仕事も適職といえます。ただし、いくら強運といっても、調子に乗りすぎると、一気にツケが回ってくるので要注意。

総運4系数

孔子は「4」を「索体凶変《さくたいきょうへん》の万事休止数《ばんじきゅうしすう》」と、ずばり言い切っています。4という数字そのものが、凶暗示を内に秘めているというのです。したがって、絶え間ない精進、努力が求められますが、常に困難が待ち受けており、いっときも息抜きが許されません。逆に、そのことをプラスにし、さまざまな障害を力強く乗り越えていけば、輝ける未来を切り開いていくこともできるでしょう。

総運5系数

孔子は「5」を「福禄寿長《ふくろくじゅちょう》の福徳集門数《ふくとくしゅうもんすう》」と規定しています。ほうっておいても幸運が転がり込んでくる徳分に恵まれているというわけです。静より動を好む傾向があり、常に積極的に変化を求めていくことでラッキーチャンスをつかむことができます。5系数は強運なので、業種を問いません。どこにも活躍の場はあります。ただし、リスクを恐れて冒険を避けていると、伸び悩むことになるでしょう。

総運6系数

孔子が残した「6」の数意は「安穏余慶《あんのんよけい》の吉人天相数《きちじんてんそうすう》」。生まれながら吉相を持っており、安定した運勢です。大きな試練を迎えることもなく、順調に能力を伸ばしていけます。突然、降って湧いたような幸運が転がり込み、労少なくして大きな成果を上げることもできるでしょう。人生や仕事で失敗しないためには、常に謙虚な姿勢を忘れず、発展しようという意欲を持ち続けることです。

総運7系数

孔子は「7」を「剛毅果断《ごうきかだん》の全般整理数《ぜんぱんせいりすう》」と定義しています。意志、信念が強いにもかかわらず、すべてを時の運に任せ、勝負に出てしまうというのです。浮き沈みの激しい仕事運で、吉と出ると成功を収めますが、凶と出たときは失業などの憂き目にあうでしょう。「芸能」「人気」「流行」「自由」などのキーワードに徹した職種、とくに、ファッション業界や若者の風俗の関連した仕事が適しています。

総運8系数

孔子は「8」の数意を「意志剛堅《いしごうけん》の勤勉発展数《きんべんはってんすう》」と位置づけました。耐えがたきを耐え、忍びがたきを忍ぶ強い意志の象徴としているのです。さまざまな困難にぶつかっても、力強くそれを乗り越えていくことができます。苦労は多いものの、最終的には成功に向かいます。8が「体」に関係の深い数なので、健康産業やスポーツ関連の仕事が向いているでしょう。ただし、協調性を心がけないと、周囲からの援助を得られないこともあります。

総運9系数

孔子が解釈した「9」の数意は「興《きょう》宵《しょう》凶《きょう》始《し》の窮《きゅう》之《し》困《こん》苦《く》数《すう》」。理想を追い求めるあまり、そのため困窮が絶えないというのです。9系数のキーワードとして、「想像」「感性」「理想」「精密」「明断」などがあり、これらを活かすことのできる仕事に邁進すれば、大成長を遂げることも不可能ではないでしょう。自分の〝理想〟を実現したときには大成功しますが、それまでは茨の道を歩むことになると覚悟しておくことです。

総運0系数

0系数は、無から有を生み出す不思議な力を持っています。一発勝負にはめっぽう強く、裸一貫から出発して一代で財をなすことも不可能ではありません。しかし、もともと実体のない0に支配されているため、常にすべてが無に帰す恐れがつきまといます。発想ひとつで成功を求める業種が吉をもたらす可能性が大。ファッション業界や芸術、スポーツ、フランチャイズなどに関係する仕事で成長することができるでしょう。

次の表は、高額納税者名簿（1995年度～2005年度版）、フォーブス・世界長者番付・億万長者ランキング2012日本編、フォーブス・日本の富豪40人・長者番付・億万長者ランキング、週刊現代（講談社）2012年第27・28・41号を参考に、億万長者の画数を分析。さらに、私の40年間に渡る1000人以上の億万長者の名前の徹底研究から導き出された貴重なランキング表です。その後の最新データでもほぼ同じようなランキングになっているのは驚きです。

あなたの総運は、何位に入っていたでしょうか？（通し順位は、同率順位があるため入れています）

大金持ち総運画数リスト

（姓＋名）

順位	通し順位	総運画数
1	1	32
2	2	31
3	3	37
4	4	33
5	5	29
6	6	23
7	7	24
8	8	27
9	9	35
	9	41
10	11	36
11	12	26
12	13	39
	13	30
	13	28
13	16	25
14	17	45
	17	38
15	19	22
	20	34
16	21	40
17	22	20
18	23	21
19	24	18
	24	42
20	26	43
	26	47
21	28	16
	28	46
	28	48
	28	49
22	32	19
23	33	44
24	34	17
	34	54
	34	51
25	37	50
	37	52
	37	53
	37	55
26	41	15
	41	57
	41	59
27	44	58

画数を数えるときの注意点

漢字の画数「へん」や「つくり」で間違いやすい漢字について。

漢字の画数はその漢字の部首が何偏《へん》なのかによって数え方が違ってきます。

初（7画）は示偏《しめすへん》ではなく、刀部5画となります。

「表」は9画ですが、「俵」は10画です。

これは、それぞれの部首が、表は衣偏《ころもへん》、俵は人偏《にんべん》と異なっているからです。

間違いやすい漢字画数の注意点　※画数はすべて正字体（旧字体）で数えます。

「乃」→「ノ」部で1画＋他1画で2画となります。

「及」→「又」部で2画＋他2画で4画となります。

同様に、

「旬」↓6画　「榛」↓14画　「妃」↓6画　「凛」↓15画
「唯」↓11画　「曜」↓18画　「宙」↓8画　「暖」↓13画
「偉」↓11画　「葛」↓15画　「崔」↓11画

などは間違いやすいので注意したい漢字です。

また、「高」は「髙」が正字（旧字体）と思っている人も多いようですが、**「髙」は俗字（世間で用いる正字ではない文字）です。**

「涼」↓「凉」　「曳」↓「曵」　「稟」↓「禀」

も、それぞれ下の文字が俗字です。

「へん」や「つくり」の関係では、漢字の部首はひとつとなっていますから、「**藤**」**という字は艸《くさかんむり》に15画で21画です。また部首は月《にくづき》ではありません。**

部首の正字と画数

氵《さんずい》↓水　4画　忄《りっしんべん》↓心　4画　扌《てへん》↓手　4画　犭《けものへん》↓犬　4画

王《たまへん》↓玉　5画　ネ《しめすへん》↓示　5画　艹《くさかんむり》↓艸　6画　月《にくづき》↓肉　6画

衤《ころもへん》↓衣　6画　辶《しんにゅう》↓辵　7画　阝《おおざと(右)》↓邑　7画　阝《こざと(左)》↓阜　8画

漢数字の画数

一↓1画　二↓2画　三↓3画　四↓4画　五↓5画　六↓6画　七↓7画

八↓8画　九↓9画　十↓10画　百↓6画　千↓3画　万↓15画

佐々木、奈々子等の「々」は「佐」「奈」の画数で数える

ひらがな・カタカナ・漢字 画数表

かな

あ	い	う	え	お	か	き	く	け	こ	さ	し	す	せ	そ	た
3	2	2	3	4	3	4	1	3	2	3	1	3	3	3	4

ち	つ	て	と	な	に	ぬ	ね	の	は	ひ	ふ	へ	ほ	ま	み	む	め
3	1	2	2	5	3	4	4	1	4	2	4	1	5	4	3	4	2

も	や	ゆ	よ	ら	り	る	れ	ろ	わ	ゐ	ん	ゑ	を
3	3	3	3	3	2	2	3	2	3	3	2	5	4

カナ

ア	イ	ウ	エ	オ	カ	キ	ク	ケ	コ	サ	シ	ス	セ	ソ	タ
2	2	3	3	3	2	3	2	3	2	3	3	2	2	2	3

チ	ツ	テ	ト	ナ	ニ	ヌ	ネ	ノ	ハ	ヒ	フ	ヘ	ホ	マ	ミ	ム	メ
3	3	3	2	2	2	2	4	1	2	2	1	1	4	2	3	2	2

モ	ヤ	ユ	ヨ	ラ	リ	ル	レ	ロ	ワ	ヰ	ン	ヱ	ヲ
3	2	2	3	2	2	2	1	3	2	4	2	3	3

※濁点「゛」は２画、半濁点「゜」は１画、音引き「ー」は１画。

漢字

【あ】

天	文	中	穴	尼	甘	合	礼	旭	朱	有	在	安	赤
4	4	4	5	5	5	6	6	6	6	6	6	6	7

足	歩	余	杏	吾	青	明	味	亜	東	姉	雨	采	相	秋	昭	厚	後
7	7	7	7	7	8	8	8	8	8	8	8	8	9	9	9	9	9

油	泡	晃	芥	畔	晏	紋	洗	畦	朗	章	麻	梓	彩	庵	彬	茜	晶
9	9	10	10	10	10	10	10	11	11	11	11	11	11	11	11	12	12

朝	浅	敦	惇	淳	絢	嵐	荒	淡	栗	悪	阿	会	愛	暉	揚	渥	暑
12	12	12	12	12	12	12	12	12	12	12	13	13	13	13	13	13	13

当	新	温	暠	逢	彰	網	飴	綾	緋	葵	輝	葦	熱	諄	醇	編	蒼
13	13	14	14	14	14	14	14	14	14	15	15	15	15	15	15	15	16

暁	篤	鮎	禮	曜	曙	藍	耀	饗	芦	顕
16	16	16	18	18	18	20	20	22	22	23

【い】

一	入	己	井	引
1	2	3	4	4

今	犬	五	生	功	丼	出	以	市	石	伊	至	糸	色	印	亥	池	依
4	4	5	5	5	5	5	5	5	5	6	6	6	6	6	6	7	8

居	到	板	妹	岩	軍	勇	急	泉	祈	芋	威	容	射	家	活	育	乾
8	8	8	8	8	9	9	9	9	9	9	9	10	10	10	10	10	11

陰	勲	諌	院	逸	稲	維	飯	郁	意	為	迪	惟	絲	壱	斐	幾	茨	頂	移
16	16	16	15	15	15	14	13	13	13	12	12	12	12	12	12	12	12	11	11
打	有	宇	生	瓜	卯	占	右	氏	牛	午	丑	内	上	【う】		巌	隠	厳	磯
6	6	6	5	5	5	5	5	4	4	4	4	4	3			23	22	20	17
梅	浮	得	動	唱	馬	討	烏	哥	埋	美	後	采	承	姓	受	乳	雨	臼	羽
11	11	11	11	11	10	10	10	10	10	9	9	8	8	8	8	8	8	6	6
永	【え】		鶯	器	潤	潮	運	漆	売	歌	裏	碓	雲	植	魚	畦	浦	産	海
5			21	16	16	16	16	15	15	14	13	13	12	12	11	11	11	11	11
悦	英	衿	笑	宴	盈	柄	重	映	泳	沿	炎	易	枝	杷	江	延	役	伯	衣
11	11	10	10	10	9	9	9	9	9	9	8	8	8	8	7	7	7	7	6
縁	演	慧	影	榎	猿	栄	瑛	鉛	円	煙	援	会	園	斐	越	淵	恵	苑	海
15	15	15	15	14	14	14	14	13	13	13	13	13	13	12	12	12	12	11	11
大	小	士	乙	【お】		艶	塩	駅	襟	絵	獲	遠	営	謁	頴	燕	衛	鋭	閲
3	3	3	1			24	24	23	19	19	18	17	17	16	16	16	16	15	15
居	叔	忍	男	弟	尾	良	自	収	同	多	仰	生	王	央	巨	丘	及	夫	公
8	8	7	7	7	7	7	6	6	6	6	6	5	5	5	5	5	4	4	4
扇	面	音	重	表	畏	相	治	泳	押	栂	思	屋	旺	長	斧	於	折	沖	岡
10	9	9	9	9	9	9	9	9	9	9	9	9	8	8	8	8	8	8	8
置	温	荻	脩	想	奥	債	雄	衆	棹	桶	終	教	御	帯	起	鬼	笈	恩	修
14	14	13	13	13	13	13	12	12	12	11	11	11	11	11	10	10	10	10	10
下	上	【か】		鷹	桜	臆	隠	織	憶	遠	応	親	横	趣	興	慮	億	緒	溫
3	3			24	21	19	19	18	17	17	17	16	16	15	15	15	15	15	14
交	回	灰	各	外	甲	瓦	瓜	皮	甘	加	可	叶	禾	片	火	化	方	介	川
6	6	6	6	5	5	5	5	5	5	5	5	5	5	4	4	4	4	4	3
官	和	巻	庚	函	佳	快	果	完	貝	角	利	戒	我	形	改	克	何	伽	亥
8	8	8	8	8	8	8	8	7	7	7	7	7	7	7	7	7	7	7	6
看	科	界	河	柏	枯	廻	型	冠	重	垣	県	柿	金	彼	岩	岸	岳	門	固
9	9	9	9	9	9	9	9	9	9	9	9	9	8	8	8	8	8	8	8
芥	肩	神	烏	珂	狩	活	紙	株	格	夏	家	兼	桂	峨	春	香	風	革	肝
10	10	10	10	10	10	10	10	10	10	10	10	10	10	10	9	9	9	9	9

芽	花	釜	乾	側	海	袈	眼	勘	貫	笠	粕	梶	悔	割	勝	寒	敢	掛	殻
10	10	10	11	11	11	11	11	11	11	11	11	11	11	12	12	12	12	12	12

街	賀	堅	間	雅	開	閑	雁	凱	幹	嫁	感	荷	会	解	莞	渇	筧	楓	像
12	12	12	12	12	12	12	12	12	13	13	13	13	13	13	13	13	13	13	14

嘉	魁	歌	管	算	軽	菅	華	禍	寛	慣	漢	確	影	数	葛	駕	郭	価	萱
14	14	14	14	14	14	14	14	14	15	15	15	15	15	15	15	15	15	15	15

楽	樫	陥	樺	蒲	学	壁	潟	亀	鴨	階	嶽	蔭	霞	謙	環	鎌	絵	関	壊
15	15	16	16	16	16	16	16	16	16	17	17	17	17	17	18	18	19	19	19

蟹	勧	薫	鐘	馨	覚	懐	駆	鑑	巌	観
19	20	20	20	20	20	20	21	22	23	25

【き】

久	己	巾	弓	今	公	切
3	3	3	3	4	4	4

木	斤	甲	丘	北	巨	王	玉	伎	休	共	仰	匡	吉	旭	机	求	曲	臼	行
4	4	5	5	5	5	5	5	6	6	6	6	6	6	6	6	6	6	6	6

衣	君	均	吟	岐	形	杏	更	希	究	供	享	京	来	協	其	岸	居	奇	季
6	7	7	7	7	7	7	7	7	7	8	8	8	8	8	8	8	8	8	8

宜	技	欣	杵	金	九	侠	客	香	姫	祇	紀	肝	祈	城	宮	恭	校	気	級
8	8	8	8	8	9	9	9	9	9	9	9	9	9	10	10	10	10	10	10

砧	桐	記	衿	鬼	起	峡	基	寄	救	毬	規	魚	近	狭	虚	喜	喬	幾	景
10	10	10	10	10	10	10	11	11	11	11	11	11	11	11	11	12	12	12	12

清	強	期	欽	淑	浄	球	稀	筋	胸	給	貴	堯	黄	勤	極	絹	琴	禁	義
12	12	12	12	12	12	12	12	12	12	12	12	12	12	13	13	13	13	13	13

経	鳩	境	旗	緊	菊	軽	偽	儀	槻	毅	漁	興	樹	潔	錦	亀	器	暁	郷
13	13	14	14	14	14	14	14	15	15	15	15	15	16	16	16	16	16	16	17

鞠	戯	簣	挙	帰	謹	騎	襟	霧	鏡	響
17	17	17	18	18	18	18	19	19	19	22

【く】

久	口	工	日	句	串	車
3	3	3	4	5	7	7

呉	空	玖	来	九	狗	紅	首	軍	栗	倉	庫	矩	訓	桑	組	邦	国	釧	区
7	8	8	8	9	9	9	9	9	10	10	10	10	10	10	11	11	11	11	11

草	黒	雲	蛛	楠	郡	熊	窪	暮	勲	隈	櫛	蔵	薫	薬
12	12	12	12	13	14	14	14	15	16	17	19	20	20	21

【け】

下	毛	幻
3	4	4

欠	犬	元	兄	玄	刑	圭	血	形	弦	決	県	契	型	建	勁	彦	計	奎	気
4	4	4	5	5	6	6	6	7	8	8	9	9	9	9	9	9	9	9	10

桂	径	拳	肩	軒	兼	乾	健	啓	研	畦	圏	堅	捲	傑	喬	恵	景	現	傾
10	10	10	10	10	10	11	11	11	11	11	11	12	12	12	12	12	12	12	13

敬	経	解	茎	掲	境	源	渓	軽	慧	慶	稽	賢	剣	倹	樫	憲	潔	螢	縣
13	13	13	13	13	14	14	14	14	15	15	15	15	15	15	15	16	16	16	16

検	激	謙	鍵	撃	鯨	献	継	懸	厳	険	芸	鶏	権	顕	験
17	17	17	17	17	19	20	20	20	20	21	21	21	22	23	23

【こ】

子	小	今	戸	孔	互	公	之	五	弘	甲	功	古	光	伍	合	此	考	亘	好
3	3	4	4	4	4	4	4	5	5	5	5	5	6	6	6	6	6	6	6

克	宏	告	吾	呉	声	孝	攻	更	言	谷	江	昊	庚	固	孤	坤	幸	児	昆	欣	虎
7	7	7	7	7	7	7	7	7	7	7	7	8	8	8	8	8	8	8	8	8	8

皇	侯	是	後	狐	紅	虹	厚	河	倖	耕	候	庫	紘	洪	股	貢	骨	高	晃
9	9	9	9	9	9	9	9	9	10	10	10	10	10	10	10	10	10	10	10

剛	洸	恒	航	胡	皎	御	康	紺	許	梢	近	浩	悟	混	袴	黒	黄	皓	惟
10	10	10	10	11	11	11	11	11	11	11	11	11	11	12	12	12	12	12	12

煌	極	業	湖	港	渾	琥	琴	寿	瑚	豪	魂	槙	駒	広	穀	醐	興	聲	鴻
13	13	13	13	13	13	13	13	14	14	14	14	14	15	15	15	16	17	17	17

郷	鯉	厳	護
17	18	20	21

【さ】

三	山	小	才	札	左	再	在	早	冴	里	作	佐	坂	坐	壮	定	幸	妻	采	沙	前	貞	柴	砂
3	3	3	4	5	5	6	6	6	6	7	7	7	7	7	7	8	8	8	8	8	9	9	9	9

怜	咲	哲	差	真	朔	座	酒	財	宰	紗	彩	悟	崎	参	細	笹	草	茶	智	最	嵜	犀	策	嵯	想	歳	装	砕
9	9	10	10	10	10	10	10	10	10	10	11	11	11	11	11	11	12	12	12	12	12	12	12	13	13	13	13	13

栄	察	実	算	造	斉	榊	瑳	諒	慧	蒼	斎	霜	沢	聡	雑	薩	桜
14	14	14	14	14	14	14	15	15	15	16	17	17	17	17	18	20	21

【し】

〆	刃	上	下	士	丈	子	四	仁	之	什	心	升	支	氏	代	主	仕
2	3	3	3	3	3	3	4	4	4	4	4	4	4	4	5	5	5

充	司	史	市	正	白	申	示	生	石	庄	字	寺	如	守	向	州	式	地	丞
5	5	5	5	5	5	5	5	5	5	6	6	6	6	6	6	6	6	6	6

収	再	次	而	糸	耳	自	色	至	此	朱	旬	七	臣	成	伺	伸	助	忍	住
6	6	6	6	6	6	6	6	6	6	6	6	7	7	7	7	7	7	7	7

志	秀	私	身	車	辰	汐	事	侍	使	受	周	叔	児	取	宗	尚	所	承	政
7	7	7	7	7	7	7	8	8	8	8	8	8	8	8	8	8	8	8	8

昌	松	昇	昔	沙	直	社	舎	青	状	信	侵	叙	思	室	重	性	是	柊	柔
8	8	8	8	8	8	8	8	8	8	9	9	9	9	9	9	9	9	9	9

春	柴	品	祉	治	砂	甚	俊	秋	酋	首	省	食	洋	十	修	乗	城	射	指
9	9	9	9	9	9	9	9	9	9	9	9	9	10	10	10	10	10	10	10

師	恕	峻	徐	恂	拾	時	晋	書	桎	殊	殉	洲	津	祝	秦	島	真	祠	神
10	10	10	10	10	10	10	10	10	10	10	10	10	10	10	10	10	10	10	10

弱	隼	芝	純	酒	針	臭	洵	酌	迅	偲	唱	執	鹿	晨	庶	将	従	宿	振
10	10	10	10	10	10	10	10	10	10	11	11	11	11	11	11	11	11	11	11

斜	梓	浚	敍	祥	笙	条	処	珠	者	章	紳	習	終	茂	紫	常	袖	術	若
11	11	11	11	11	11	11	11	11	11	11	11	11	11	11	11	11	11	11	11

雀	渉	勝	場	尋	掌	惇	授	情	捨	斯	植	晶	森	清	椎	淑	浄	淳	順
11	11	12	12	12	12	12	12	12	12	12	12	12	12	12	12	12	12	12	12

絲	粧	絢	舜	視	証	衆	盛	集	就	須	深	剰	翔	詞	嗣	新	署	楢	椿
12	12	12	12	12	12	12	12	12	12	12	12	12	12	12	13	13	13	13	13

湘	渚	路	聖	荘	資	装	詩	脩	頌	煮	嶋	誠	彰	慎	実	慈	榛	準	爾
13	13	13	13	13	13	13	13	13	13	13	14	14	14	14	14	14	14	14	14

滋	獅	寿	菖	誌	誦	寝	奨	尽	槙	審	熟	漆	質	諏	賞	進	趣	敷	陣
14	14	14	14	14	14	14	14	14	14	15	15	15	15	15	15	15	15	15	15

緒	署	儒	樹	渋	親	諸	錠	静	潤	篠	焼	繁	縦	霜	謝	瞬	駿	曙	織
15	15	16	16	16	16	16	16	16	16	16	16	17	17	17	17	17	17	18	18

湿	蕉	識	獣	鐘	嬢	続	穣	襄	畳	鷲	譲	塩	醸
18	18	19	19	20	20	21	22	22	22	23	24	24	24

【す】

寸	介	水	主
3	4	4	5

末	好	州	佑	杉	住	助	吹	角	享	垂	季	沙	舎	直	侑	奏	姿	炭	砂
5	6	6	7	7	7	7	7	7	8	8	8	8	8	8	8	9	9	9	9

昴	栖	純	巣	彗	救	宿	雀	将	捨	椎	須	筋	迪	勝	煤	鈴	嵩	瑞	粋
9	10	10	11	11	11	11	11	11	12	12	12	12	12	12	13	13	13	14	14

翠	菅	裾	速	透	輔	寿	墨	進	諏	酔	澄	穂	鍬	隅	随
14	14	14	14	14	14	14	15	15	15	15	16	17	17	17	21

【せ】

千	川
3	3

切4 井4 世5 仙5 占5 正5 全6 先6 西6 亘6 成7 谷7 声7 汐7 赤7 政8 妹8 姓8 征8 折8

青8 前9 宣9 星9 昭9 染9 泉9 沼9 省9 施9 城10 席10 扇10 栓10 洗10 芹10 専11 旋11 設11 船11

雪11 背11 犀12 善12 情12 晴12 清12 然12 浄12 浅12 盛12 税12 靖13 勢13 聖13 銑14 誠14 精14 誓14 説14

斉14 節15 線15 戦16 整16 積16 銭16 静16 聲17 鮮17 禅17 選19 関19 瀬20 摂22 繊23

【そ】

三3 双4

外5 存6 早6 壮7 宋7 束7 村7 足7 空8 卒8 其8 宗8 徂8 争8 染9 俗9 促9 奏9 相9 即9

十10 祖10 素10 孫10 側11 族11 巣11 苑11 爽11 添12 尊12 惣12 曽12 疎12 草12 象12 園13 想13 湊13 荘13

像14 槍14 箏14 綜14 颯14 僧14 造14 捜14 層15 蒼16 憎16 聡17 総17 操17 雑18 贈19 騒20 蔵20 臓24

【た】

大3 工3 丈3 手4 丹4 内4 太4 屯4 代5 巧5 平5 他5 正5 只5 台5 旦5 田5 民5

立5 玉5 匡6 匠6 圭6 多6 宅6 打6 竹6 妙7 助7 孝7 弟7 男7 谷7 辰7 忠8 汰8 直8 卓8

垂8 店8 武8 侑8 保9 建9 待9 拓9 泰9 段9 赳9 託9 高10 竜10 俵10 峻10 崇11 帯11 健11 珠11

狸11 苔11 袋11 能12 探12 替12 淡12 猛12 短12 為12 絶12 躰12 雄12 棚12 巽12 喬12 堯12 惟12 単12 敬13

琢13 退13 嵩13 団14 種14 対14 態14 瑞14 臺14 嘆14 毅15 弾15 談15 滞15 楽15 橘16 醍16 樽16 達16 龍16

沢17 隆17 館17 檀17 駿17 鯛19 宝20 滝20 畳22 体23 鷹24

【ち】

力2 千3 中4 父4 冲6 仲6 兆6

地6 竹6 池7 杖7 乳8 宙8 忠8 沖8 知8 直8 長8 治9 紂9 致9 持10 朕10 珍10 畜10 砧10 秩10

値10 帳11 張11 近11 茅11 彫11 眺11 鳥11 頂11 昼11 智12 茶12 貯12 着12 爺13 猪13 稚13 跳13 馳13 暢14

対14 蝶15 調15 著15 徴15 澄16 潮16 築16 蓄16 陳16 親16 縮17 鎮18 懲19 鋳22 聴22 庁25

【つ】

土3
文4 月4 爪4 包5 司5 机6 次6 杖7 佃7 作7 努7 告7 壮7 角7 坪8 妻8 弦8 孟8 突9 辻9
勉9 恒10 津10 剛10 紡10 御11 常11 粒11 紬11 紹11 釣11 強12 堤12 壺12 硬12 詞12 椿13 塚13 伝13 勤13
幹13 嗣13 経13 附13 鼓13 綱14 通14 連14 造14 槌14 尽14 剣15 摘15 槻15 毅15 築16 都16 蔦17 謹18 翼18
露20 鶴21 艶24

【て】

丁2 手4 天4 出5 田5 寺6 汀6 低7 廷7 弟7 典8 定8 的8 映9 亭9
帝9 貞9 展10 哲10 庭10 停11 偵11 笛11 第11 堤12 程12 邸12 迪12 伝13 殿13 照13 碇13 荻13 電13 禎14
逞14 摘15 徹15 滴15 滞15 締15 輝15 蹄16 点17 転18 鉄21

【と】

斗4 友4 巴4 戸4 止4 世5 冬5
外5 吐6 同6 年6 共6 努7 利7 床7 伴7 豆7 亨7 兎7 朋8 取8 虎8 東8 季8 知8 度9 怒9
飛9 俊9 峠9 泊9 肚9 突9 十10 留10 倒10 徒10 時10 桐10 洞10 砥10 島10 討10 鳥11 動11 問11 執11
敏11 得11 寅11 堂11 統12 朝12 敦12 富12 智12 棟12 筒12 登12 等12 胴12 淑12 盗12 渡13 歳13 殿13 督13
稔13 頓13 図14 説14 途14 透14 通14 銅14 徳15 徹15 樋15 稲15 部15 董15 導16 灯16 曇16 篤16 都16 道16
頭16 遠17 独17 瞳17 櫂18 豊18 遼19 党20 藤21 轟21

【な】

也3 中4 内4 半5 永5 生5 仲6 名6
七7 成7 男7 並8 奈8 長8 尚8 直8 波9 夏10 流10 納10 斜11 梨11 浪11 習11 苗11 那11 無12 為12
楠13 楢13 猶13 渚13 滑14 菜14 鳴14 鍋17 縄19 難19 薙19 辺22 灘23

【に】

二2 入2 人2 丹4 仁4
日4 尼5 肉6 西6 忍7 乳8 虹9 庭10 弱10 臭10 若11 弐12 楡13 荷13 新13 爾14 認14

【ぬ】

布5 主5 抜9 沼9 怒9 貫11 糠17 縫17

【ね】

子3 年6 念8 音9 根10 然12 猫13 寝14 熱15 練15 錬17

【の】

乃2 之4 希7 伸7 延7 典8 昇8 信9 則9 宣9 後9 法9 紀9 乗10 軒10 展10 納10 矩10 規11 野11 望11 統12 能12 登12 載13 農13 暢14 徳15 範15 鋸16 濃17

【は】

巴4 元4 反4 白5 半5 羽6 早6 灰6 甫7 伴7 初7 八8 林8 長8 把8 明8 肌8 服8 畑9 春9 治9 波9 拝9 畠10 庭10 般10 原10 隼10 花10 倍10 秦10 芳10 珀10 馬10 啓11 培11 張11 彬11 徘11 敗11 英11 晩11 班11 背11 袢11 舶11 范11 販11 梅11 場12 番12 発12 阪12 博12 迫12 晴12 稗13 飯13 鳩13 鉢13 搏14 裸14 速14 搬14 旗14 肇14 端14 磐15 範15 腹15 萩15 魄15 葉15 箱15 幡15 髪15 橋16 播16 縛16 蓮17 繁17 霞17 遙17 蕃18 浜18 翻18 遼19 覇21 蛮25

【ひ】

人2 久3 土3 匹4 日4 仁4 比4 引4 平5 氷5 左5 疋5 弘5 皮5 光6 老6 兵7 秀7 冷7 尾7 均7 宏7 尚8 卑8 品9 彦9 姫9 払9 悔9 晃10 肥10 紘10 秘10 密11 眸11 昼11 彪11 浩11 英11 敏11 博12 等12 蛭12 尋12 皓12 斐12 碑13 裕13 稗13 脩13 緋14 菱14 賓14 寛15 樋15 広15 陽17 瞳17 檜17 拡19 響22

【ふ】

二2 不4 双4 分4 夫4 太4 文4 父4 布5 札5 冬5 生5 古5 史5 舟6 伏6 甫7 吹7 仏7 服8 房8 府8 扶8 払9 芙10 振11 浮11 笛11 船11 袋11 冨11 富12 淵12 深12 筆12 楓13 聞14 福14 縁15 節15 部15 総17 蕗18 藤21

【へ】

片4 戸4 丙5 平5 別7 兵7 紅9 勉9 返11 碧14 部15 逸15 弁16 (辨) 弁21 (辯) 辺22

【ほ】

凡3 亡3 方4 木4 他5 包5 母5 北5 本5 帆6 坊7 忘7 甫7 歩7 炎8 房8 星9 法9 保9 芳10 邦11 乾11 堀11

眸11 掘12 程12 誇13 鳳14 萌14 暮15 墨15 穂17 翻18 誉21

【ま】

又2 丸3 允4 升4 方4 正5 末5 米6 交6 守6 曲6 町7 毎7 昌8 巻8 政8 征8 松8 的8 牧8 保9 亮9 前9 柾9 眉9 待9 益10 孫10 馬10 真10 洵10 毬11 祭11 麻11 茉11 勝12 雅12 間12 誠14 槙14 幕14 舞14 増15 万15 摩15 諒15 磨16 学16 黛17 麿18 護21 魔21

【み】

三3 巳3 水4 右5 充5 未5 民5 光6 名6 妙7 見7 身7 店8 味8 南9 美9 皆9 宮10 峰10 海11 密11 御11 迪12 稔13 幹13 路13 溝14 緑14 実14 通14 瑞14 箕14 碧14 満15 都16 道16 蓑16 操17 澪17 嶺17

【む】

六6 虫6 牟6 向6 邑7 村7 宗8 武8 室9 麦11 紫11 無12 睦13 夢14 蟲18

【め】

女3 召5 目5 名6 米6 命8 明8 面9 芽10 恵12 飯13 愛13

【も】

毛4 元4 文4 木4 玄5 以5 目5 本5 母5 戊6 百6 守6 求6 杜7 門8 孟8 持10 桃10 紋10 者11 基11 茂11 問11 望11 盛12 森12 最12 聞14 萌14 黙16

【や】

山3 也3 矢5 安6 冶7 谷7 八8 夜8 和8 弥8 柳9 保9 泰9 哉9 耶9 屋9 家10 恭10 康11 梁11 凱12 爺13 靖13 楊13 槍14 寧14 愷14 焼16 彌17 隑18 薬21 藪21

【ゆ】

弓3 之4 由5 如6 有6 行6 酉7 征8 幸8 侑8 勇9 柚9 祐10 唯11 雪11 悠11 結12 雄12 裕13 湯13 夢14 優17 豊18

【よ】

四4 予4 之4 世5 可5 代5 用5 米6 次6 吉6 好6 羊6 仔6 余7 利7 良7 依8 夜8 佳8 宜8 美9 要9 洋10 容10 芳10 寄11 淑12 恵12 善12 能12 喜12 嫁13 義13 楊13 揚13 揺14 溶14 嘉14 与14 瑶15 養15 様15 横16 餘16 予16（豫） 蓉16 陽17 遙17 謡17 曜18 耀20 読22 鷹24

【ら】

良7 来8 嵐12 雷13 乱13 落15 楽15 頼16 藍20 羅20 欄21

覧	蘭
22	23

【り】

力	了	立	六	合	伶	利	呂	良	李	里	両	亮	律	柳	凌		
2	2	5	6	6	7	7	7	7	7	7	8	9	9	9	10		
倫	旅	納	栗	粒	梁	笠	淩	涼	理	琉	椋	棱	量	裏	莉	虜	琳
10	10	10	10	11	11	11	12	12	12	12	12	12	12	13	13	13	13
稜	僚	領	緑	凜	諒	輪	璃	陵	隆	遼	麟						
13	14	14	14	15	15	15	16	16	17	19	23						

【る】

留	流	涙	瑠	塁	類
10	10	12	15	18	19

【れ】

令	礼	伶	泠	怜	玲	烈	零	廉	練	黎	漣	歴	暦	蓮	嶺	錬	禮
5	6	7	9	9	10	10	13	13	13	15	15	16	16	17	17	17	18

麗	恋	霊
19	23	24

【ろ】

六	老	呂	良	旅	納	鹿	浪	朗	労	禄	路	廊	郎	緑
6	6	7	7	10	10	11	11	11	12	13	13	13	14	14

魯	録	蠟
15	16	21

【わ】

亘	和	波	破	若	脇	棉	渡	綿	黎	輪	藁	鷲
6	8	9	10	11	12	12	13	14	15	15	20	23

その他の漢字画数

凪（6）なぐ　菫（14）すみれ　紬（11）つむぎ

雫（11）しずく　暖（13）だん　枡（桝）（8）ます

柊（9）しゅう　股（10）また　絃（11）げん

憂（15）ゆう　陸（16）りく　猪（13）いのしし

迅（10）じん　苺（13）いちご　莫（13）ばく

獏（15）ばく　栞（10）しおり　架（9）か

暉（13）き　櫂（18）かい　芭（10）は

遥→遙と画数同じ　凛→凜と画数同じ

桝→枡と画数同じ（国字）來→来と画数同じ

※画数表の調べ方としては、音読み、訓読みをネット等で調べて表を見てください。例えば、「寧」は、ネイ、やすい、が読みですので、本書の漢字表では「や」のところにあります。「衣」は、え、ころも、イ、が読みですので、本書では「え」のところにあります。

コラム

知らないと恐ろしい「2つのこと」

今、私のところへの若い女性からの相談で増えているのは、美容整形手術の失敗による相談です。

芸能界など華やかな世界にいる女性がやはり一番多く、その次にハイスペックと最近は呼ばれている高学歴、高収入の女性が目立ちます。

手術に何百万もかかるのはザラですから当然かもしれませんが、手術失敗も多くあります。皆、手術失敗のあとには精神を病んだり、仕事を辞めたり、散々な日々を送っています。大きなサングラスを毎日かけないと外にも出られません。

家からほとんど出られずにできるだけ引きこもっている女性もいます。

派手な広告をしているようなところでの手術失敗が目立ちます。

他の病院での再手術をしても最初が悪いとうまく直せないで何回も病院を回って、もう手が出せないと言われる人も多いのです。

最初はプチ整形といった軽い言葉で気軽に入って行きます。

また、脂肪吸引、豊胸などでのトラブルがとにかく増えています。

コンプレックスで今のままではいられないという気持ちはわかりますが、失敗というキーワードも忘れてはならないのです。

あとは最近、ホストなどの男性に貢ぎ、果てには海外の売春に手を染める女性。

この人達の中には海外でどうしようもないほど精神を病んだり、薬でおかしくなって日本に舞い戻るケースも多く、日本の家族が見るに

見かねて相談してくるケースです。

その多くは、若くして好き勝手に遊び回り家にも寄り付かず、気がついたら海外売春で落ちるとこまで落ちてしまったケースです。

一緒に海外に行って売春をしていた女性友達は行方知れずのようで、「多分死んでると思います」と、物騒なことを言っていました。

なんとも恐ろしい目にあっている女性達が増えています。

海外売春の恐ろしさは、ここ最近ネットでもチラホラと体験談のような形で見ることがあります。

しかし、30年も前からよくある話でした。

美容整形手術も、今も昔も男女とも10代後半から20代前半が急増しているターゲット層です。

なぜかというと、まだまだ右も左もよくわからない学校出たての人達なので、話を信じやすいし、自分のコンプレックスも強いので、相手のペースに飲まれて決断してしまうのです。

売春も整形も、後先考えないことが一番恐ろしいわけです。

事件や犯罪に巻き込まれたら？

手術の失敗で思うように行かなかったらどうしよう？

そういう危険な経験もないために、リスクを考えられないのです。

どちらも間違えば命を失うことさえあります。

周りに振り回されて、良いこと、楽しいことだけを思い描くのだけはやめましょう。

自分には何が向いているのか。

自分の運勢はどうなのか？

この本で、自分の名前の運勢を見て、プラスな思考を探してみるのも大切な事です。

顔のここだけ直したら私は完璧にモテる。

この男性の言うことを信じてパパ活して助けてあげたい。

そんなことをしていても、自分の運が悪ければ、利用されて終わったり、次々にコンプレックスをくすぐられて手術を重ねてしまいます。

例えば、もしもあなたの名前に「恵」の文字があったなら、あなたは幸せな結婚と財運に縁があります。

三浦百恵さん、畠田 理恵さん、吹石 一恵さん、仲間由紀恵さん、上沼恵美子さん、高橋恵子さん、中井貴恵さん、恵俊彰さん、二谷友里恵さん（郷ひろみさんと離婚後、再婚し実業家として成功）。

この人たちはみんなすごい幸せを手に入れていますよね。

榊原郁恵さんも幸せなご家庭を築きましたが、ご主人のお名前が大変危険な凶名でした（渡辺徹さん、50画、死別）。

つまり、自分の容姿とか、付き合っている相手とかに振り回されずに、まずは自分の名前をこの本で占ってみてはどうでしょうか。

自分自身の名前の持つパワーを知れば大きな希望につながります。

おわりに

本書をお読みいただきありがとうございました。

心から感謝申し上げます。


私が「開運」を探し求めて、半世紀が経とうとしています。

「健康」「愛情」「金運」などさまざまな幸せを求めて研究をしてきました。

「名前」「幸運象形文字」そして本書の「目の前に観音菩薩があらわれる写経」。

私が体験してきた幸せをつかみ取る秘術を読者の皆様にも体験していただき、幸せを実感してほしい。

そしてたった一度の人生を悔いのない人生にしてほしい。

そう考えてここまで来ました。


貧富の差がますます広がっているとされる日本。

あの人うらやましいな〜

すごい幸せそう〜

わぁ〜、一度でいいからあんな暮らししてみたいな。
こんなビルまで建ててすごい成功してる〜
えっ、あんなに大成功してるの〜あの人が〜
あの人、キラキラ輝いてる〜
健康でうらやましい〜
綺麗ですごくうらやましい〜
ブランド品や高級車欲しいな〜

などなど。周りを見て、こう思っている人もいると思います。

しかし、今の幸せを実感している成功者達や、健康に満ちあふれている人、ラブラブで愛に恵まれた人も、実はほんのささいなチャンスや出来事によって今がある、という人達も大勢いるのです。

ほんの数年前に人生が変わったという人も。

あの人に出会ってから、
あの会社に勤めてから、
あの時、そう思って実行したから、
あそこで勇気を持ってやってみたから、
あの時に転職したから、
あの人と別れてから、
あそこに行ったことで――変わったと。

今現在、すごい成功をしている人や大きな幸せをつかんだ人も、ほんの少し前までは迷える人であったり、悩んでいた人だったケースがたくさんあります。

たった一つの出来事がきっかけ、ということがたくさんあるのです。

運命の転換点です。

この本の中に書いてある、

「幸運象形文字」

「名前」

「目の前に観音菩薩があらわれる写経」が、実は運命が変わったきっかけになったと言う人達が多くいます。幸運をつかめた、と言ってくれる人達が大勢います。

これまでにたくさんのメールやお手紙を頂きました。

私が本の中で取り上げる人達はすべて実例です。

今、この文章を書いている間にも、前回の本でも紹介した元バンマスで、オーケストラの指揮をし、その後は有名クルーズ船のバンマスとして世界中を旅したBさんからメールが届きました。

「なかやまうんすい先生

改名後、様々良い人生を過ごしていますが、今般5万部を売り上げました私のウクレレ本が廃刊となり、〇〇〇出版から新刊原稿の依頼を受け、情報も新たにして原稿を仕上げることができました。〇月に発売予定です。

70歳にして新刊を出せるなんて、正に改名の威力だと思います。ありがとうございます。」

とありました。

私の一日は、こうした「名前」「幸運象形文字」などにによって幸運をつかんだ人達からの感謝のメールや手紙で始まると言ってもよいと思います。

私自身大きな喜びです。

私は、「人生の振付師」だとも思っています。

自分自身が幸せになったことが信じられないという男性。

今、ここに立っていることが嘘みたいです。精一杯やってきて、うまくいかなかった暗い人生。わたし、改名で救われました。という女性。

しかし、努力だけでは人は幸せにはなれないのも事実です。

朝から番まで一生懸命に働いて努力している人はたくさんいます。

そこからのプラスアルファは「運」なのです。

毎日の事件や事故を見てもそれは明らかです。
あの時、あの場所を通ったから、
あの日にあそこにいたから、
本当に偶然に運悪くという悲劇の数々。
中国に伝わる「幸と不幸は運次第」これは間違いありません。

だからこそ、この本で本物の「運」をつかんで幸せになってください。
そして幸運な人になってほしいのです。

この本には、新しい幸運の法則
「目の前に観音菩薩があらわれる写経」
が特別に加わりました。
目の前に観音菩薩があらわれた時の驚きと衝撃は、言葉には言いあらわせません。
それほど奇跡的な出来事です。
その時に初めて、この世にはこんなことが本当にあるのだ、と思うはずです。

摩訶不思議な、神がかりな、別世界にいるような、幻を見ているような、そんな心境になるはずです。
これからの、あなたの幸せな人生に心から乾杯したいと思います。

なお、第三部『あなたの「名前」で運勢を知ろう』はダイジェスト版で、ページ数の関係上、「五運」の詳細な説明や大事な法則の解説が割愛されております。
さらに詳しく名前に関して知りたい場合には、ぜひ『名前で人生は9割決まる』をお読みください。

最後に、この本の制作にあたって常に全力で前向きで、熱意と理解を頂いた、株式会社自由国民社取締役編集局長・竹内尚志氏、そしてこの本の出版に関わって頂いたすべての関係者の皆様に心から深く感謝いたします。

2024年7月　武蔵野の緑の中で

なかやまうんすい

❖この本の中で言う「象形文字」とは、甲骨文字、指事文字、会意文字、会意兼形声文字、形声文字等の一部も含みます。

❖この本の画数表にない文字は漢和辞典などで画数を調べてください。旧字体（正字体）のある漢字は旧字体画数を見てください。

なかやまうんすい

占術家、文字学研究家。東洋運命学協会、日本姓名学協会会長。

幼少時の大病を占術によって回復後、運命学、霊占術を独学で学び、13歳ですでに多数の信奉者を集め話題となる。

その後、中国、日本全国を行脚し、中国占術の中で最も難解といわれる姓名学を研究。画数と文字が運命に及ぼす因果関係を追求し続けて40年間10万人以上の鑑定を行う。なかやま氏の改名により幸運をつかんだ有名人も多い。「上沼・高田のクギズケ！」「アッコにおまかせ！」などテレビ番組３００本以上に出演。ラジオ、雑誌などでも幅広く活躍。

著書は、『名前で人生は9割決まる』『この「名前」で、人生が変わった。』『願いがかなう幸運象形文字』『開運と健康の黒竹棒』（いずれも自由国民社）『知るのが怖い！名前によい文字悪い文字』（河出書房新社）『社名が悪いと会社が危ない』（角川書店）『霊力のある最強の名前』（宝島社）など80冊以上。

門弟には、ＭＡＹＵＡ（マユア）を筆頭に、なかやま孔子皇、なかやま友樹貴、なかやまローレン由麻など。

Special Thanks to
イラストレーション　shima／PIXTA（ピクスタ）

本書は、『願いがかなう幸運象形文字』（二〇一五年三月三十一日初版発行）を増補改訂・改題したものです。

この本についてのご質問やご相談は左記までお願い致します。

なかやまうんすい事務所
〒183—0023
東京都府中市宮町1—17—19—906
TEL 042—335—1166(代)

なかやまうんすいオフィシャルサイト
（下のQRコードからアクセスできます）
https://www.nakayamaunsui.co.jp

あなたの目《め》の前《まえ》に「観音菩薩《かんのんぼさつ》」があらわれる本《ほん》

二〇二四年（令和六年）九月十二日　初版第一刷発行
二〇二四年（令和六年）十月十七日　初版第二刷発行

著者　なかやまうんすい
発行者　石井悟
発行所　株式会社自由国民社
東京都豊島区高田三—一〇—一一
〒一七一—〇〇三三
電話〇三—六二三三—〇七八一（代表）
造本　JK
印刷所　大日本印刷株式会社
製本所　新風製本株式会社

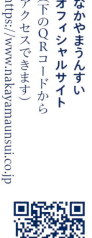